ああっ女神さまっ

AH! MY GODDESS

藤島康介

CONTENTS

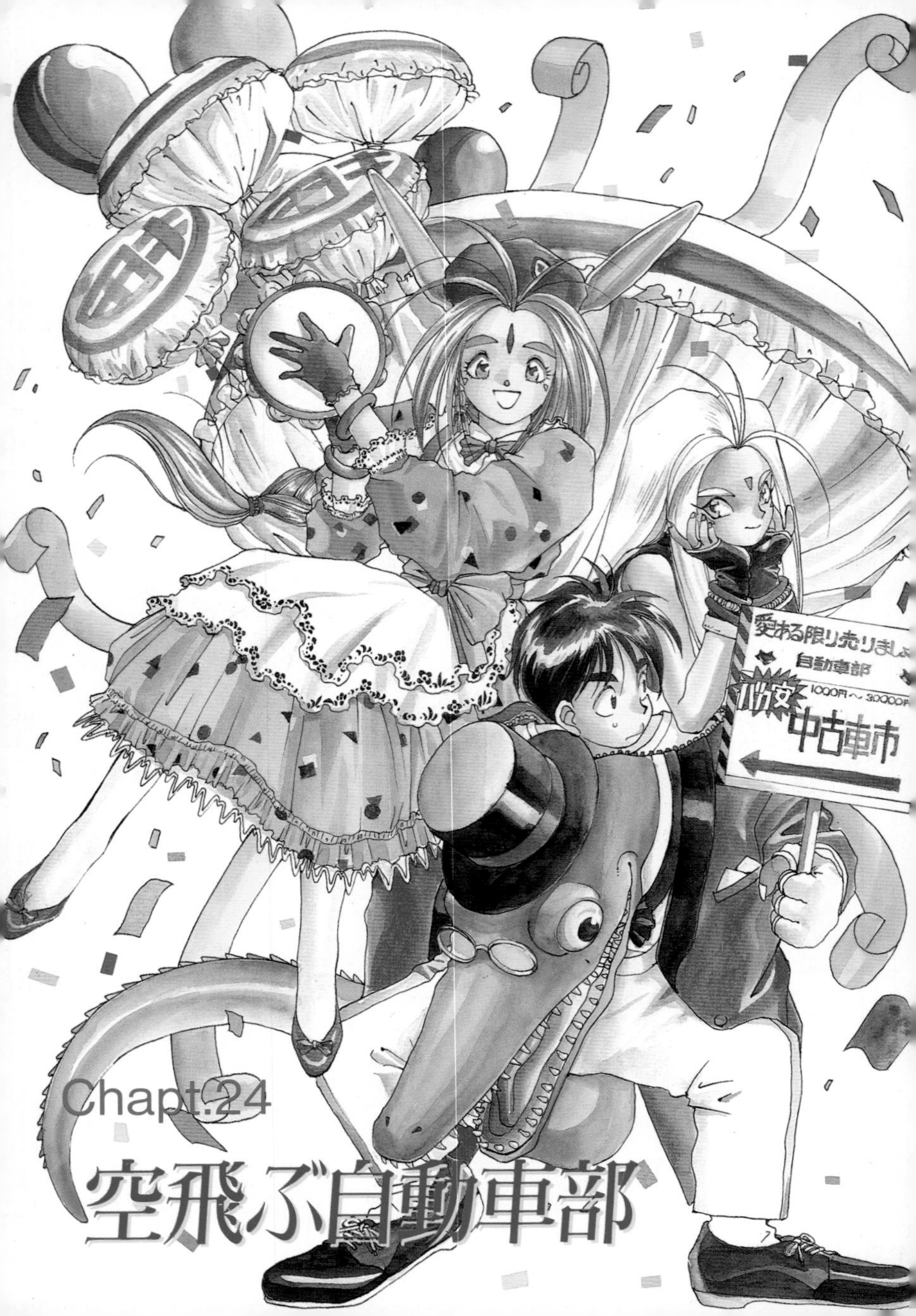

愛ある限り売りましょ
自動車部
バカ安
1000円～30000円
中古車市
Chapt.24
空飛ぶ自動車部

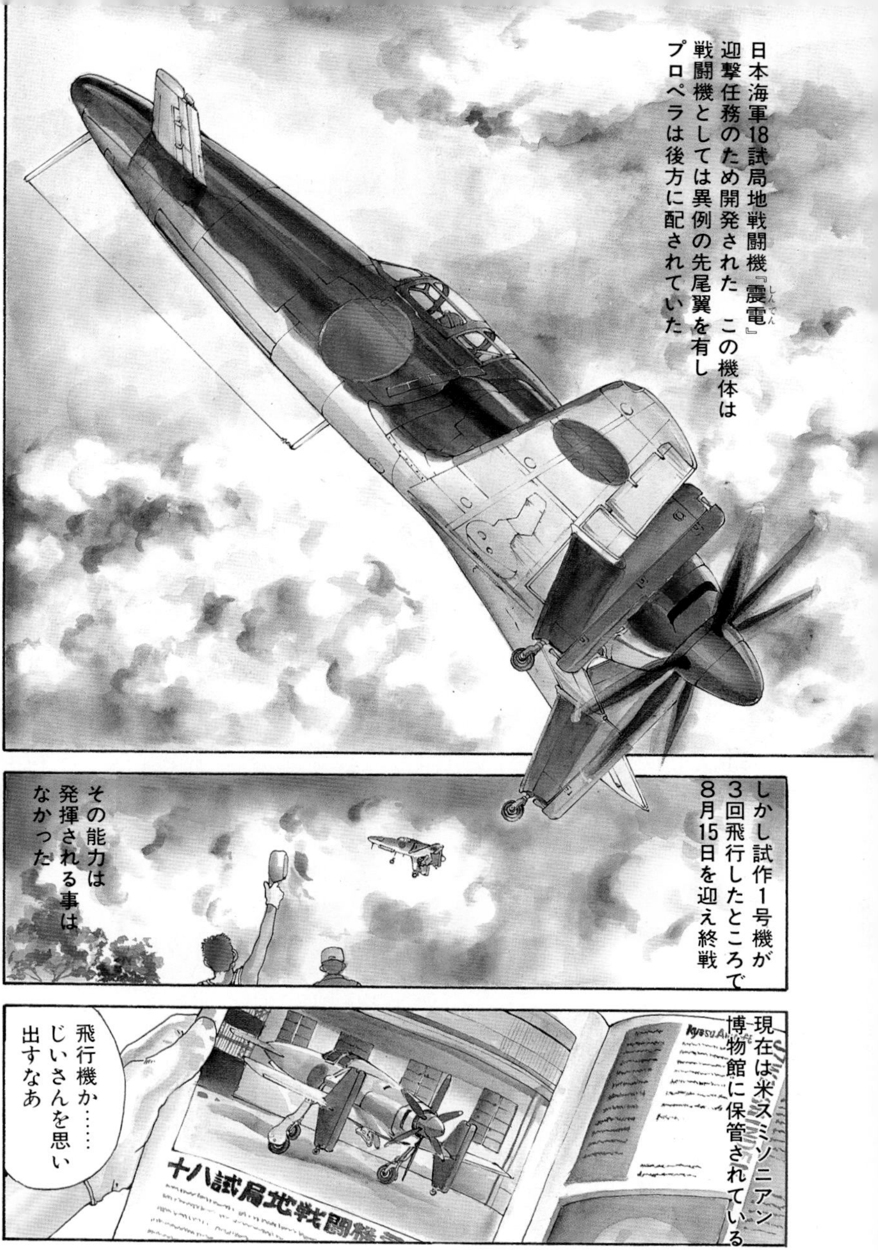

日本海軍18試局地戦闘機『震電《しんでん》』
迎撃任務のため開発された　この機体は
戦闘機としては異例の先尾翼を有し
プロペラは後方に配されていた
しかし試作1号機が
3回飛行したところで
8月15日を迎え終戦
その能力は
発揮される事は
なかった
現在は米スミソニアン
博物館に保管されている
十八試局地戦闘機
飛行機か……
じいさんを思い
出すなあ

じいさんと飛んだ
子供の頃の青い空を
じいさんに操縦桿《そうじゅうかん》を握らせてもらったっけなあ……
何を思い出にひたっておる……
学園祭まで あと10日しかないのだぞ!!
おおっエンジンが無いっ!!
カローラのエンジンでも入れとけば
バカ安
庫一掃!!
中古車
おまえはこのヌイグルミを着て
宣伝につとめるのだっ
あの
いやだーっ
くさいのは
!!
NIT-MGC

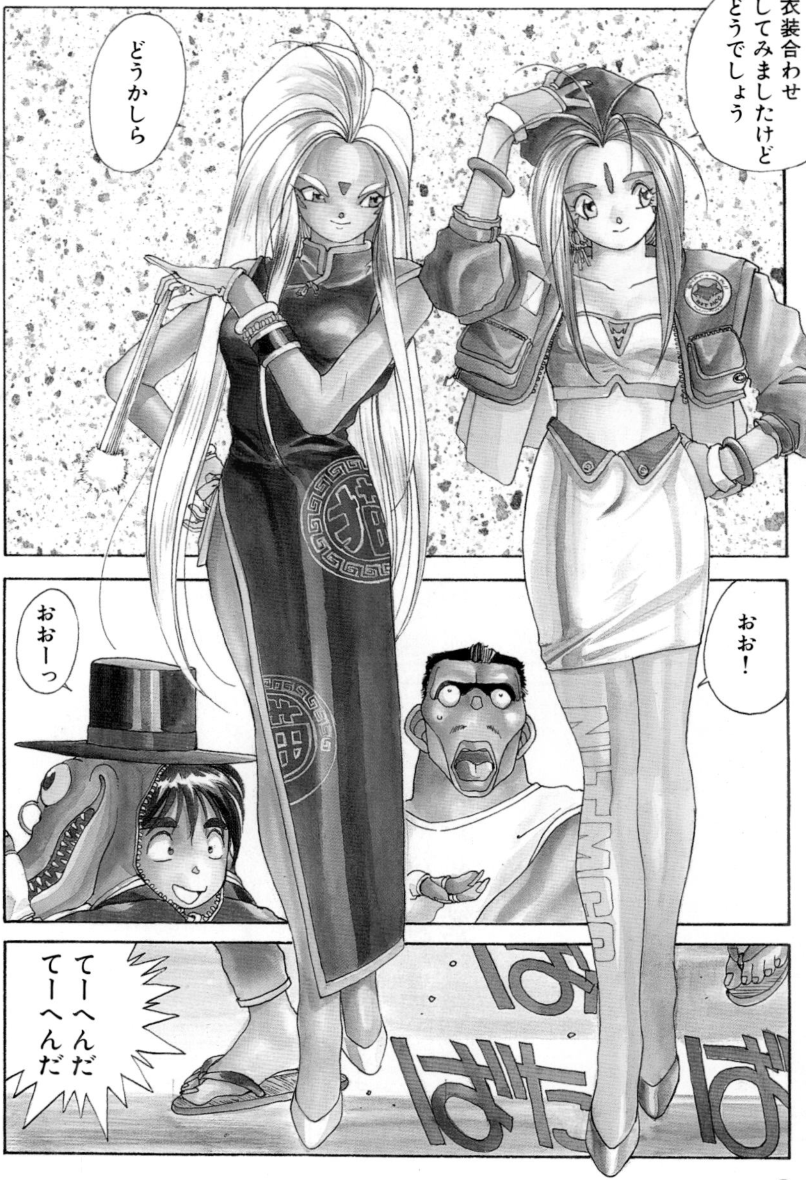
衣装合わせ
してみましたけど
どうでしょう
どうかしら
おお!
おおーっ
てーへんだ
てーへんだ

青嶋《あおしま》のやつが謀反を!!
裏切りやがった!!
N.I.T F.W.C
NEKOMI INSTITUTE OF TECH OLOG
FOUR WHEELS CLUB
入会受付中
4輪部学園祭に向けて本日より入会受け付け中でーす
NITIFWC
入会受付
KOENIG
PRINTED BY HOLBEIN & EXEN.

どこかの貧相な自動車部と違って
かわいい女の子たくさん!!
ありあまる予算と豪華な車
今すぐこの応募用紙にお名前を
入部届
氏名
学年
学部
年令
性別 男 女
免許
私 は四輪部
に入部致します。
署名.
ふら
ふら
おおおお
先輩先輩!!
ふっふっふっ
うおおー
入れてくれー
入れろー

慌《あわ》てろ慌てろ!!
どうせおまえらはつぶれる運命にある
あの先輩共をベルダンディーから引き離し
こちらにベルダンディーもろとも吸収してやる!!
よーし今日はここまでおつかれ様でした——っ
いいかっ我が自動車部のモットーは少ない予算で大きな実りだ
明日までに人寄せの方法を考えるのだ
お————っ!
ずいぶん寂しくなったな……

なあに
こっちは
金がなくても
女神がついてる
からね
そうよっ
あんな小娘共に
私が負けて
たまりますかっ
当日を
見てらっしゃい!!
その服で
帰るの
か？
そうよ!!
悪い？
気に入ったん
だもん　これ
当日ね……
あると
いいねえ
やれ!!

翌日
わーっ
こ……
これは!!
部室が……
ひゅう
使える物を
探せーっ
こりゃ
人寄せどころ
じゃないぜーっ
使える物
ったって
スクラップ
の山じゃ
ないの……
応えよ
我に応えよ
埋もれたる
遺産
我が声を
聞け

ここに……
この下に何か埋まっているわ
何っ
掘れ——っ掘りまくれ——っ
土木部になってしまった
よーし上げろーっ
じゃっ
じゃっ
部室の下にこんな物が埋まってたのか

こっ……これは
震電
震電？飛行機なのか？
確かに　ここは日本海軍飛行場跡地だから
飛行機ぐらい埋まっているかもしれないが……
……でも震電はアメリカに……
震電――
我に応えよ
なぜ　ここへ？
なぜ　地中へ？

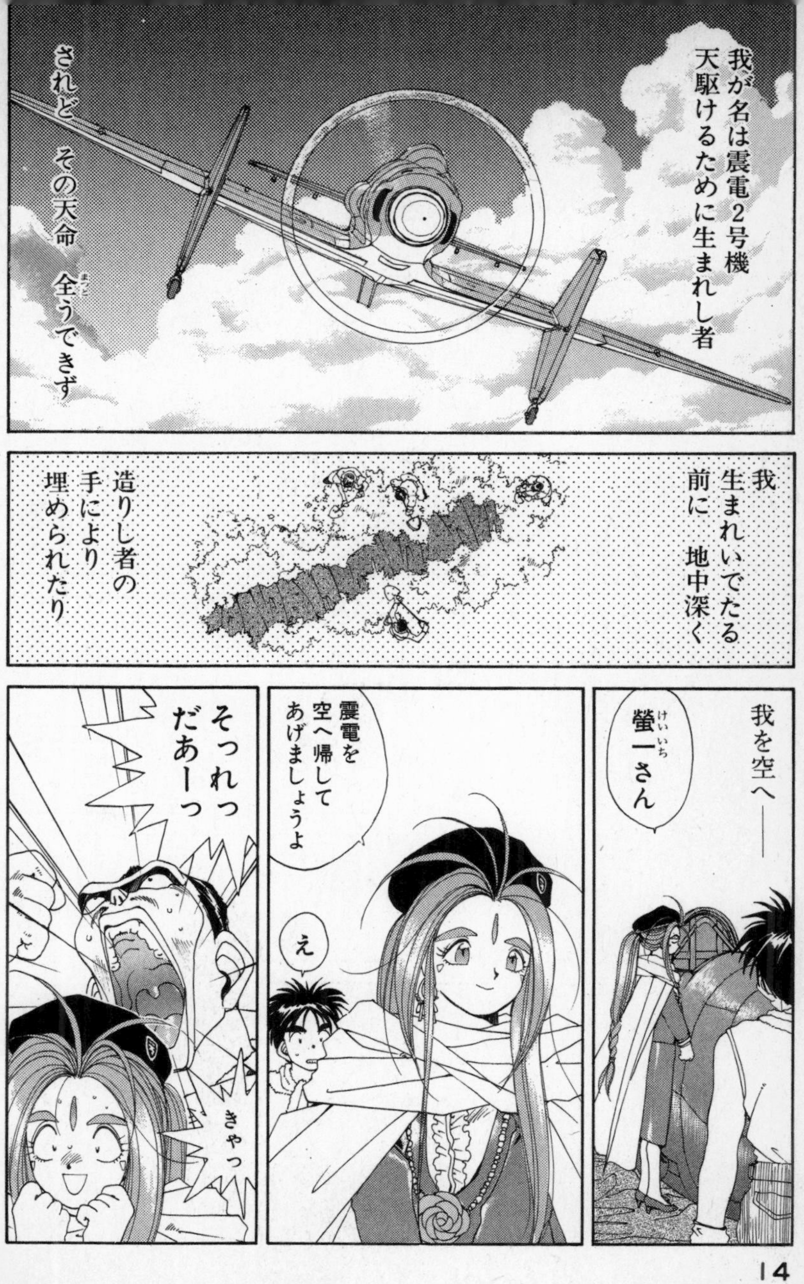
我が名は震電2号機
天駆けるために生まれし者
されど　その天命　全《まっと》うできず
我　生まれいでたる前に　地中深く
造りし者の手により埋められたり
我を空へ――
螢一《けいいち》さん
震電を空へ帰してあげましょうよ
え
そっれっ
だあーっ
きゃっ

世界中にたった1機の飛行可能な機体!!
話題性で4輪部に勝てる!!
入部希望者殺到の上に観客から入場料も取れば……!!
でも田《でん》ちゃんうちは自動車部だよ
猫実工大
動車部
森里《もりさと》!!自動車の定義は?
【自動車】(名詞)エンジンの力で車輪を動かして通路を走る物
つまり飛行機も滑走中は自動車なわけだっ
なぁるほど そいつぁ盲点だったね!
……でもどうやって飛ぶの?
翼もエンジンもないわよ
そいつも盲点だったね

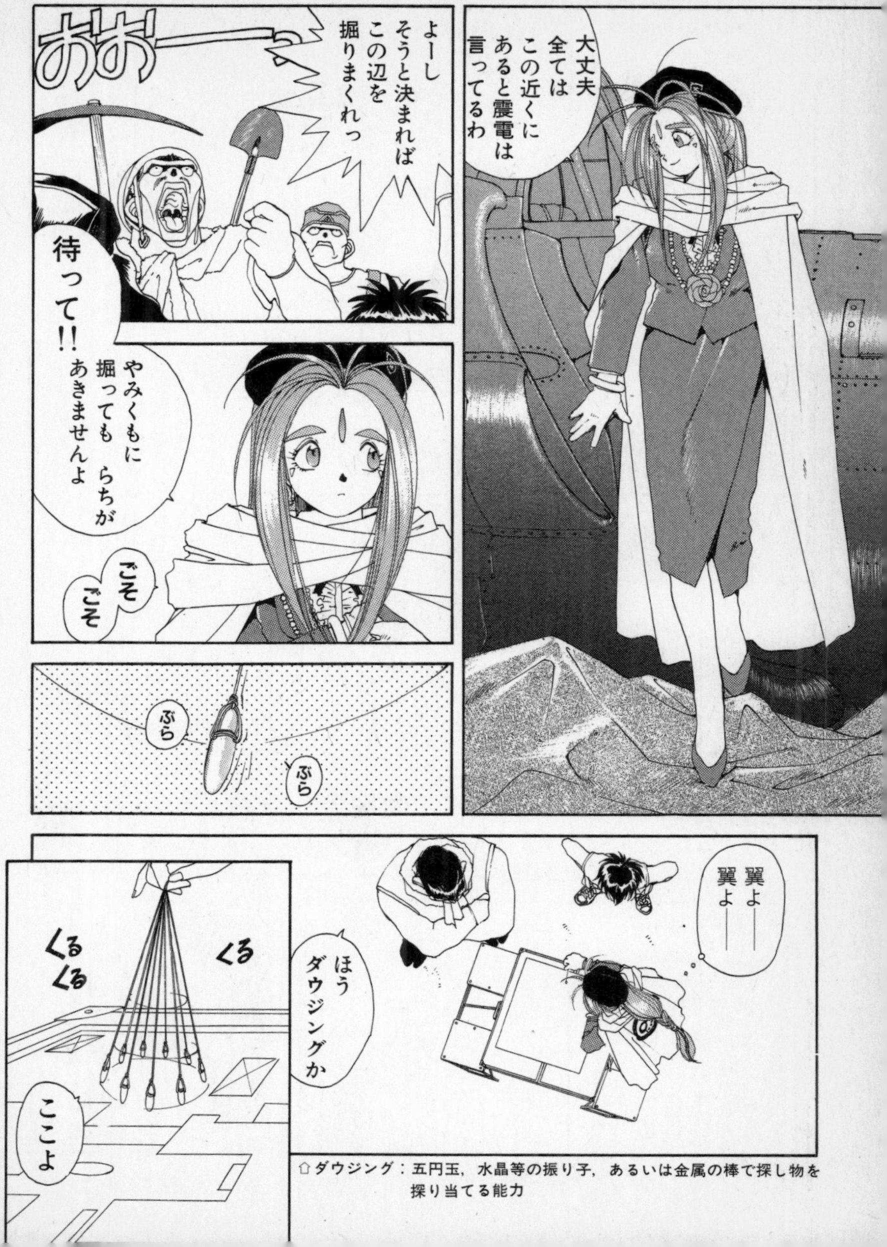
大丈夫
全ては
この近くに
あると震電は
言ってるわ
よーし
そうと決まれば
この辺を
掘りまくれっ
おおーっ
待って!!
やみくもに
掘っても　らちが
あきませんよ
ごそ
ごそ
ぶら
ぶら
翼よ――
翼よ――
ほう
ダウジングか
くる
くる
くる
ここよ

⇧ダウジング：五円玉，水晶等の振り子，あるいは金属の棒で探し物を探り当てる能力

よっしゃあ 行くぞ━━っ
いってらしゃーい
募集
男子マネージャー
待ってるよ♡
女子バレー部
応援に来てね
裏が騒がしいねェ
?
あ
あ
なんか工事かな?

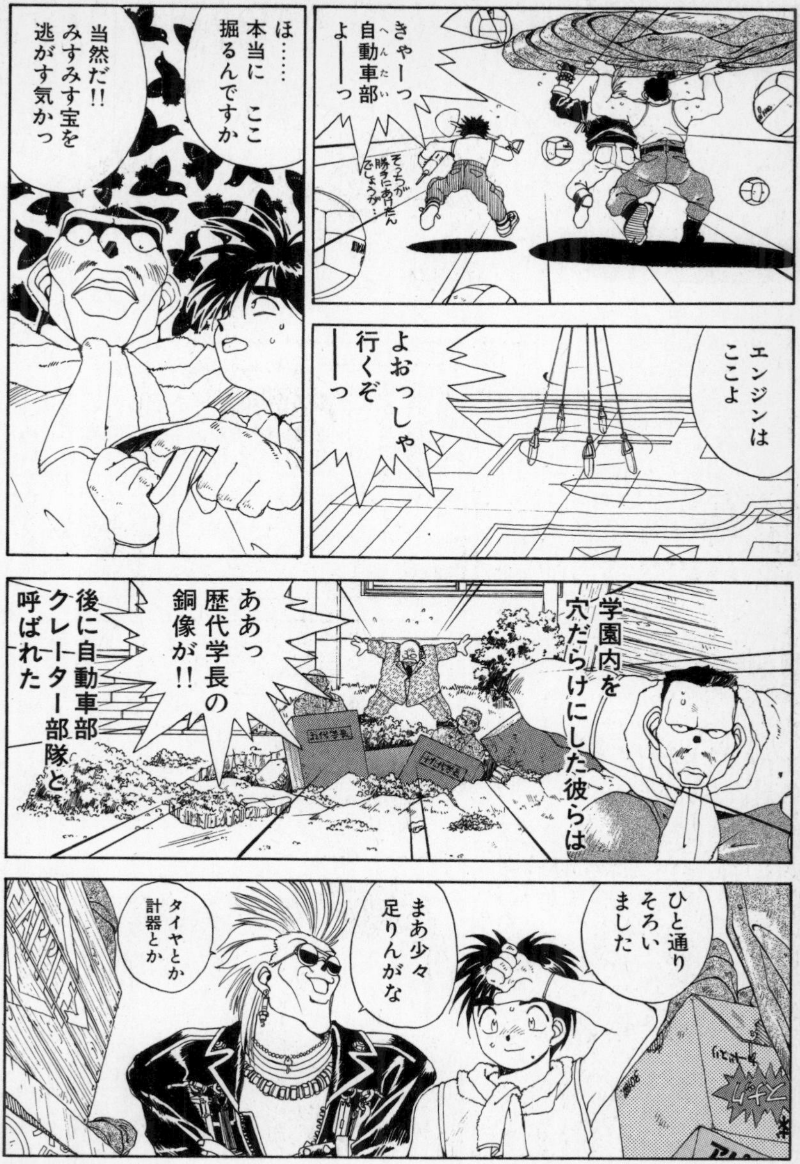

きゃーっ
自動車部《へんたい》よーーっ
そっちが勝手にあけたんでしょうが…
エンジンはここよ
よおっしゃ行くぞーーっ
ほ……本当に ここ掘るんですか
当然だ!! みすみす宝を逃がす気かっ
学園内を穴だらけにした彼らは
ああっ歴代学長の銅像が!!
後に自動車部クレーター部隊と呼ばれた
ひと通りそろいました
まあ少々足りんがな
タイヤとか計器とか

まあ後の事は我々にまかせて
え
君は訓練に励んでくれたまえ
く……く訓練ていったい？
がしっ
ばかだなあ飛行訓練に決まってるじゃないか
がしっ
そんなっ免許だってないのにっ
心配するな大学内は治外法権だ
うそだーっ
ベルダンディーッ
大丈夫螢一さんならやれるわ
飛べるわもうすぐよ

本当に
大丈夫なのか
なんだか
不安だ
ああ
見えても
やる時には
ちゃんと
やる人たちよ
必ず あなたを
飛ばせてくれるわ
うわあああっ
信じている
んだな
ええ
先輩
ーっ
本当に
これで
いいん
ですか
うむ
間違い
ないっ
宇宙飛行士入門

どうやら飛行機を飛ばそうって事らしいがっ
うわーーーっ
いくら自動車部でも
考える事が無謀すぎるぜ!!
せいぜい当日におもしろい墜落ショーでも見せてくれ
当日
第36回猫実祭
驚異の戦闘機震電復元さる!!
入場料 ¥200-
お兄さーん寄ってかなーいっ?

きゅいいいん
ぱりぱりっ
バッバッ
バッ
う……動いた!!
当然だ!!俺たちが一つ一つ組んだんだからな

説明図が無かったんで苦労したよ!!
!!……
ま……まさか本当に飛ばんだろうな
ぽり
ぽり
ポップーン
考えてみりゃ俺が操縦桿握るったって
離陸の経験は一度もないんだよな
螢一さーん
お願い震電を
空に連れていってあげて
震電はきっと協力してくれるわ

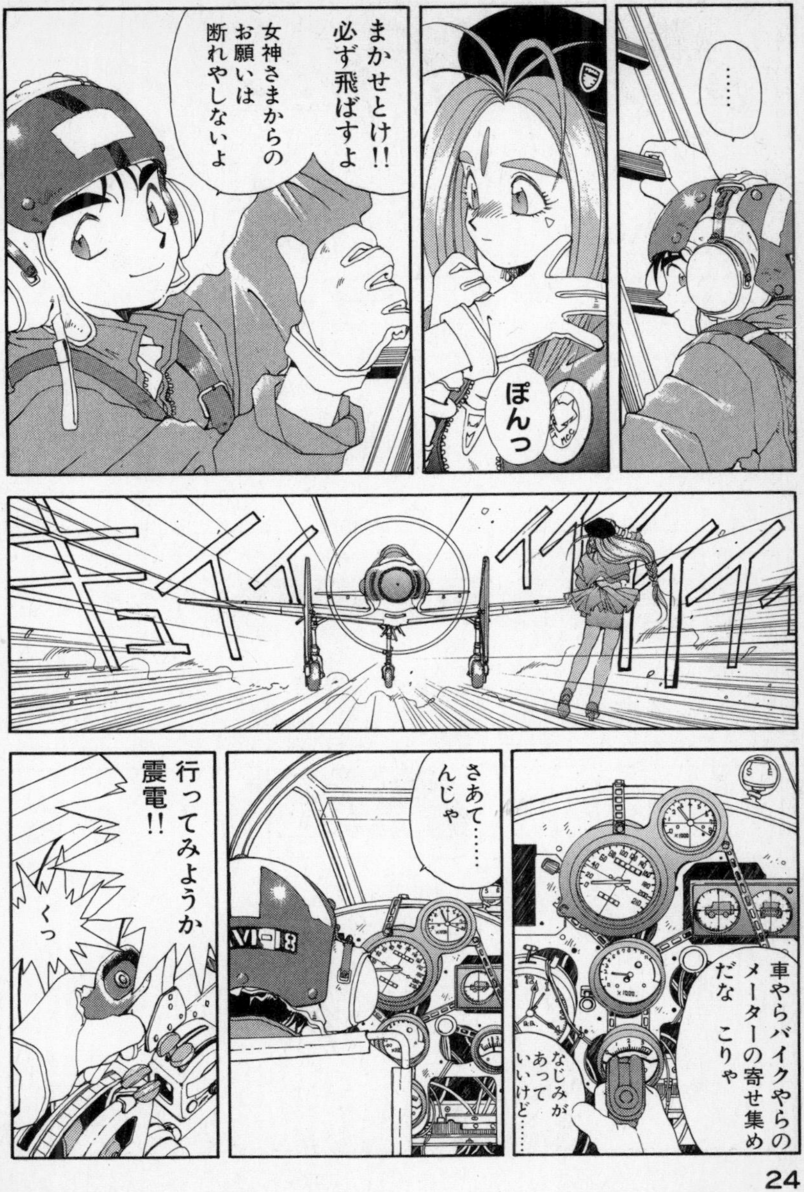
……
ぽんっ
まかせとけ!! 必ず飛ばすよ
女神さまからのお願いは断れやしないよ
キュイイイイイ
車やらバイクやらのメーターの寄せ集めだな こりゃ
なじみがあっていいけど……
さあて…… んじゃ
行ってみようか 震電!!
くっ

ヒュイイイイイイーン
NIT MCC
おい
ああ……滑走距離が長いな……
くっ……
どうした!!上がらんぞ!!
ピッチを
何っ
プロペラピッチを
そうか!!ピッチを変えないと
そう……それでいい……

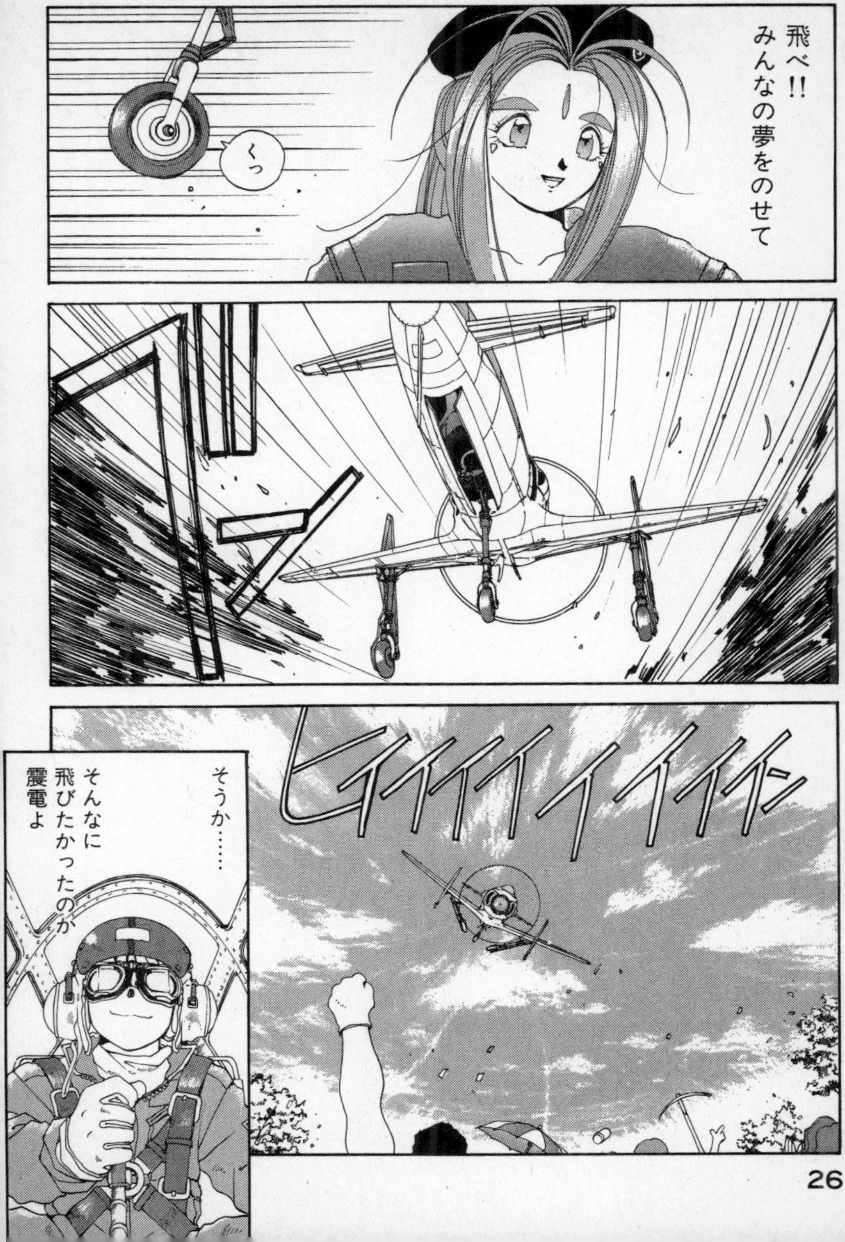

飛べ!!
みんなの夢をのせて
くっ
ヒイイイイイイイン
そうか……
そんなに
飛びたかったのか
震電よ

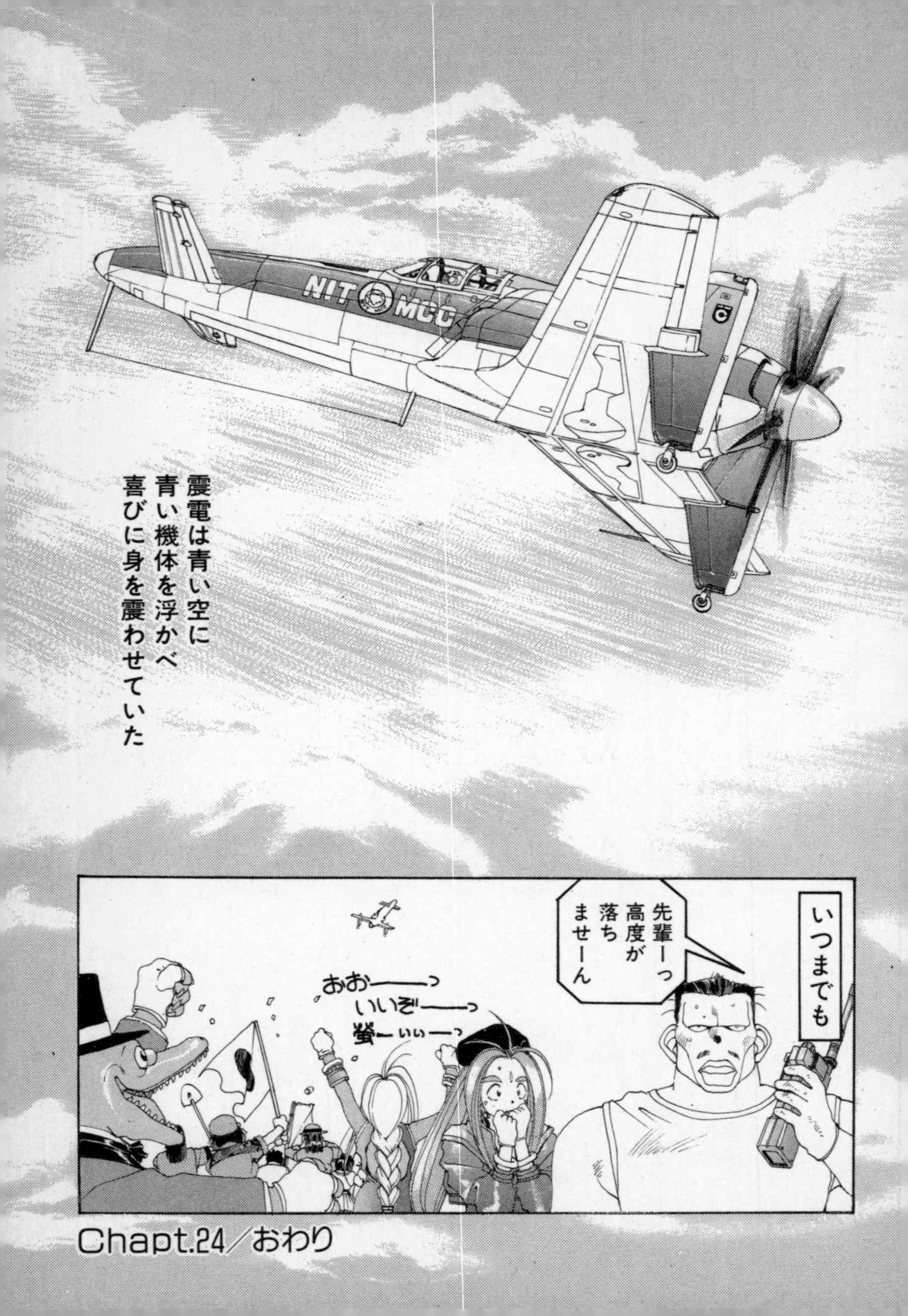
NIT MCC
震電は青い空に
青い機体を浮かべ
喜びに身を震わせていた
いつまでも
先輩ーっ
高度が
落ち
ませーん
おおーーっ
いいぞーーっ
螢ーいぃーっ
Chapt.24／おわり

ウルドの小っちゃいって事はー 第2回

◆1/24◆ ◆1/35◆

ある朝起きると小さくなっていた
ああっ
1人で遊んでるのも退屈だったから
おそろいにしたのよ
スケールが違うぞ!!
あれ?
※1/24スケールジオラマ
よせよ
そろそろ戻してくれよ
えー? もう?
しようがないなあ
おい!!
あ
間違えた…
1/35スケールジオ……
やめろっつーーの

…つづく…

※ジオラマ＝プラモデル等を使って情景を再現する事

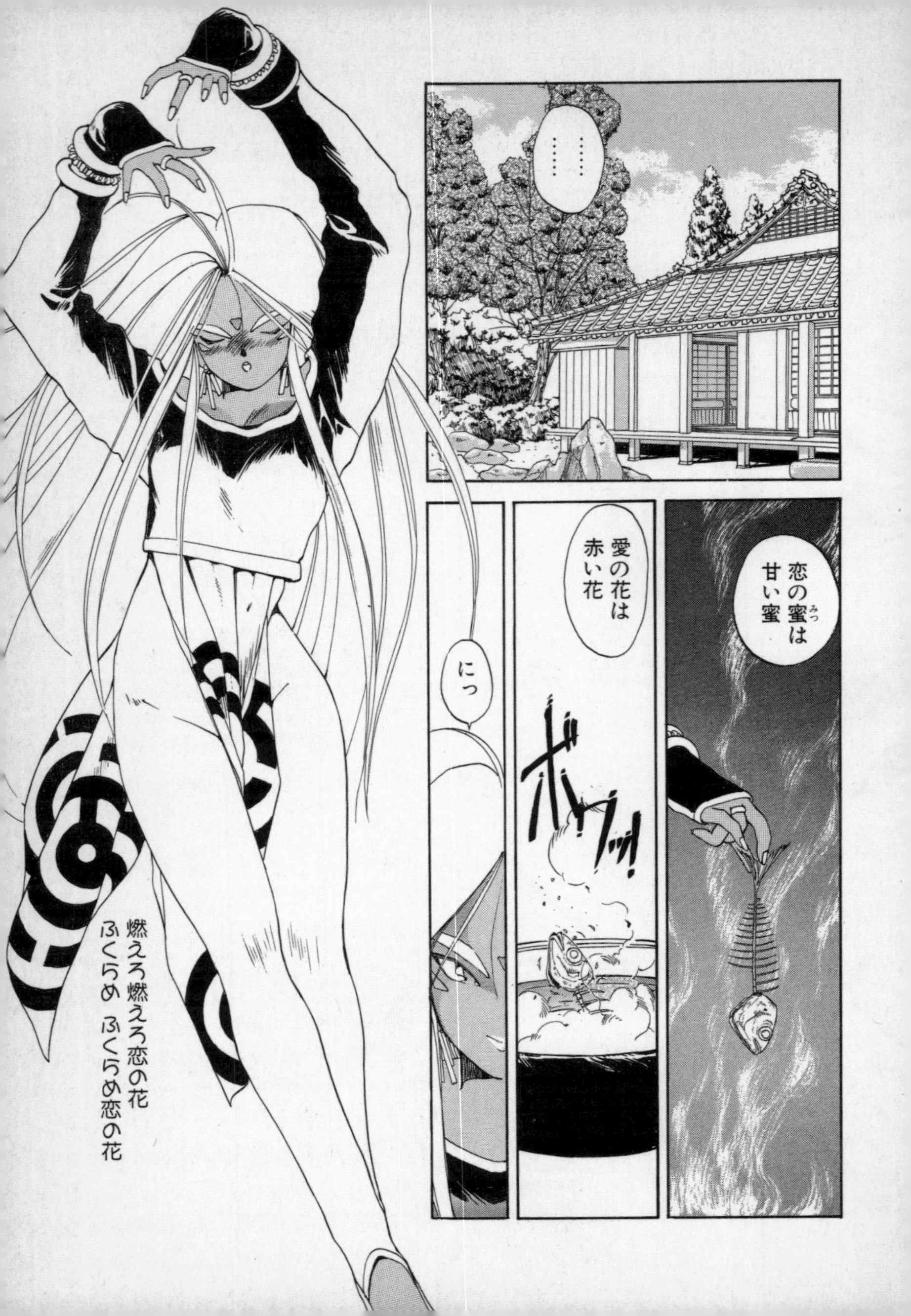
……
恋の蜜《みつ》は
甘い蜜
愛の花は
赤い花
ボシュッ!
にっ
燃えろ燃えろ恋の花
ふくらめ　ふくらめ恋の花

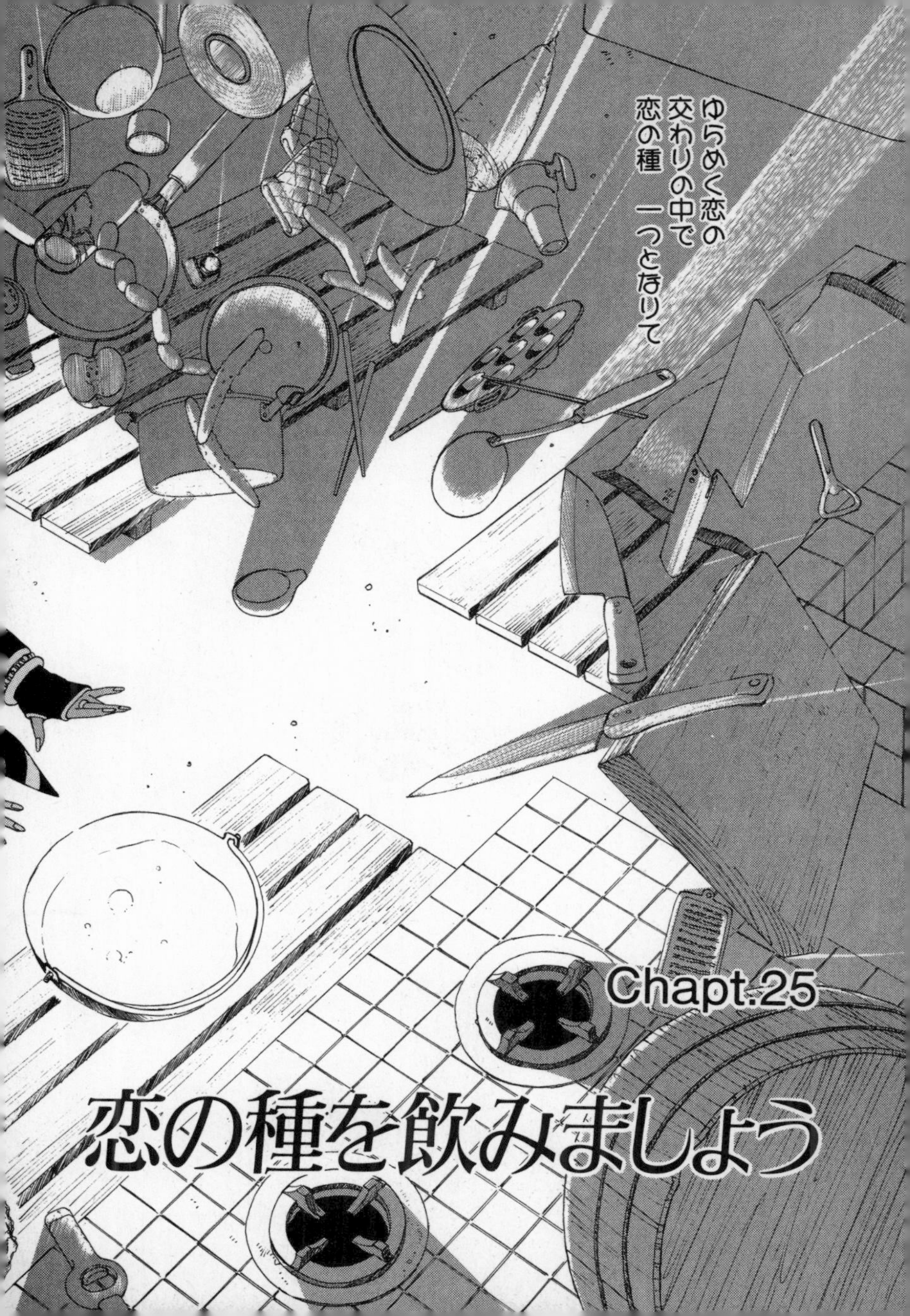
ゆらめく恋の
交わりの中で
恋の種　一つとなりて
Chapt.25
恋の種を飲みましょう

チョコクリス
健康食品
無農薬
GRAPE JU
We are

我が手の元に現れん!!
ボム!!
うふふ……
これを螢一《けいいち》に飲ませれば
螢一とベルダンディーは一気に燃え上がるわよ
ほほ螢一待ってらっしゃい
ポン

あとは これを 飲ませれば
たぽ
おや ウルドさん
今日は 何ですか?
!!
この男―― 確か螢一の先輩とか いうやつ……
?
お茶 いかが♡
よーし この男で 試してみよう
ごぽごぽ

いやあ こりゃ 申しわけ ない
では おつ…
あ
あ
あ
ばっ!
あ
ちぇっ まあ いいか
こっち残ったし……
いやあ うまかった
げっ きいてないいっ
ウルドさんも ぐーっと
え
いや私は ……!!

いらな……
まあまあそう言わず
ドン。
何？今の
一号棟の方だ!!
あのピンクの煙は!!
シュウウウ…
やっぱり

姉さん
恋の種　飲んだ
わねっ？
……
大変だ
人が来る
なんだ
なんだ
とりあえず
逃げるぞっ
なんなんだ
今の
爆発は
わや わや
あ
なーんだ
田宮か
田宮じゃ
しようが
ねーな
どうせ
ロクでも
ない事して
たんだろ
……で
恋の種って
なんだ？

簡単に言えば媚薬《びやく》のようなものですね
び 媚薬《びやく》?
ある言葉や行動 その他物などが引き金となって
そこにいた人に恋をしてしまうんです
それにしてもなぜこんな物を飲んだのかしら
びくっ
そいつはいいっ
くんくん
え?
これでウルドがうまく男とまとまれば俺たちにちょっかいを出さなくなる

確かに
ウルドも
自分の幸せを
追いかけても
いいわよね
げっ
ウ……
ウルドがいない!!
あっ
梅の花……

遠き日に
私の愛した
あの人……
梅の精霊だった
俺は黄金の
ウグイスを
探しに
旅にでる
えっ
そ……
そんな
どうして
急に
許してくれ
梅の精にとって
黄金のウグイスは
男のロマンなんだ
さよ
ならっ
好きだった
なあ
へんなやつ
だったけど
あー
ちょっと……
あんた飛べ
ないでしょ
この時
ウルドにとっての
引き金はすでに
引かれていた

この思い出により
〝梅〟に関する物が
彼女の恋の引き金と
なっていたのである
ドキ
あのお方は
……
なんて
素敵なお方
あの
真剣に読書
するまなざし
ドキ
ドキ
ドキ

スッ…
ご一緒していいですか？
ぱたぱた
くそっどこにいったんだ
よお森里
いい所に来た!!ちょっと来い
何ですか急いでるんですけど

自動車部の
トレーナーを
作ったんだ
S M Lと
サイズも
そろって
柄は3種類
今なら1着
2千500円で
お届けします
なお消費税は
頂いておりません
はい!!
2着分で
5千円ねっ!!
じゃあ
急ぎます
から!!
あ……
おい!
いつもなら
絶対に
渋るのになあ
なにを
あわててんだ

ねえ
せんせ
私
せんせーの
優しい目を
愛して
しまったの
あなたに
奥さんがいたと
しても
今だけで
いいから……
だーっ
すみませーん
お騒がせして

最近の
学生の悪戯《いたずら》は
過激だなあ
ドタドタ
しかし
ボッ
久しぶりに
思い出したな……
青春ってやつを
いやーっ
離してよ
ーっ
妻子
孫持ちの
老人とは
つきあわせ
られないよっ
こら
よせっ
ほっと
いて
ちょーだい
恋の種を
飲んでいるとはいえ
ウルドの人を見る目は
狂っていないはずだわ
なんとか
してあげたい
のは
やまやまだけど

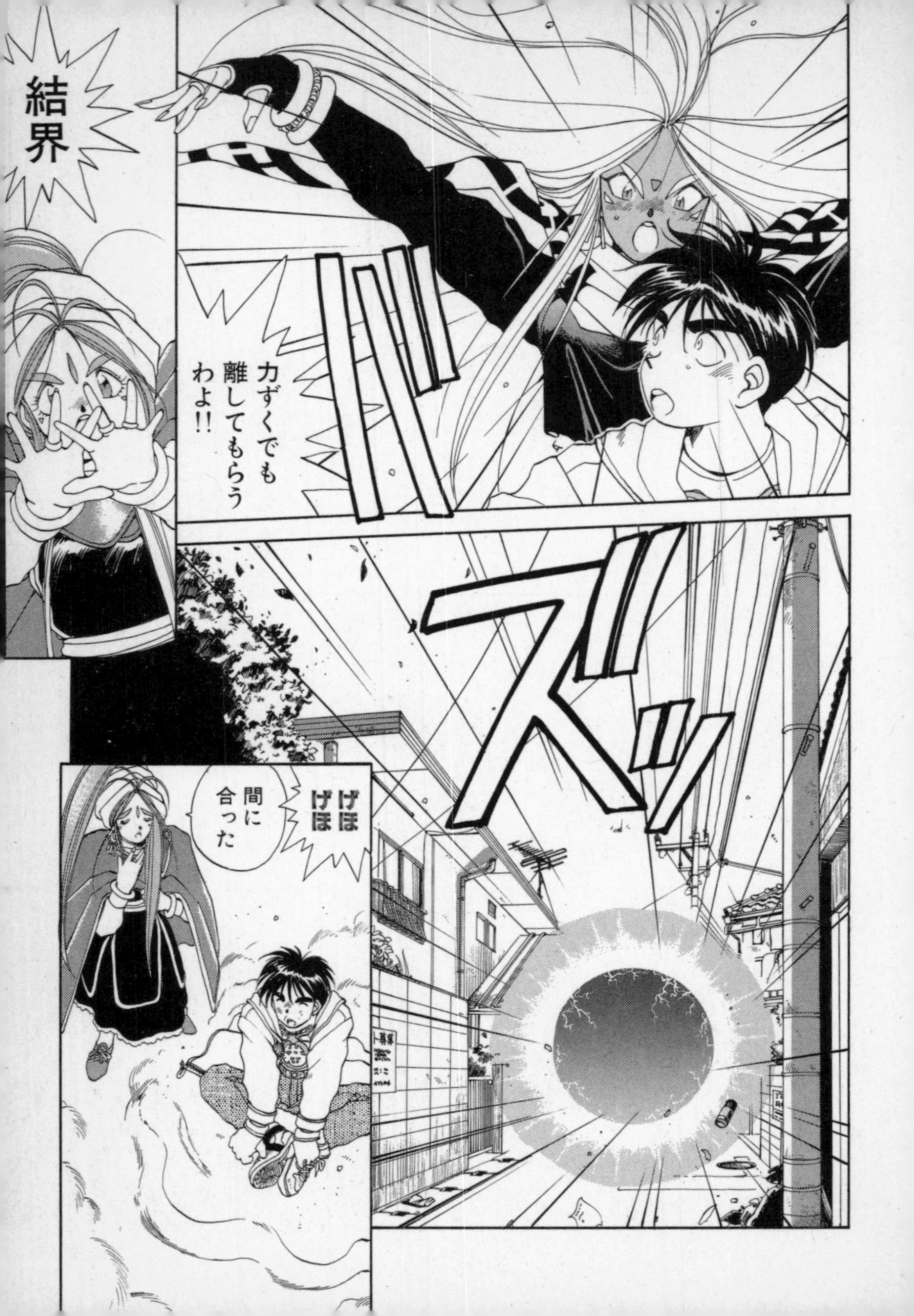
結界
力ずくでも離してもらうわよ!!
ド
ズッ
げほげほ
間に合った

暴発したら 手がつけられ ないところだった
また 逃げられ たっ
あれ？
大丈夫 発信球をつけ たから すぐ 見つかります
ピコーン ピコーン
いらない おせっかいは やめて欲しいわ
ぴん ぽーん
ぴん ぽーん
梅川さーん 速達でーす
うめ……
ピキーン

なんて りりしい 人!!
雨の日も 雪の日も 人から人への
想いを 手渡し続ける その強さ……
あなたの 歴史を刻む そのヘルメット
え…… いや その…… あんた誰?
速達は どうしたざます
私と 愛の交わり を
えっ
……
今度は うまくいき そうだな

だーっ
ばか者ーっ
いきなり核心にいくなあ!!
あなたの声は
私の声
わたしの声は
貴方の声
声は合わさり
一つとなりて
我が口元より
出《い》づる声とならい
だから
私と
愛……
……
・・・アイアイ見に行かない?

アイアイ
霊長目アイアイ科
体長40cm　尾60cm
マダガスカル島に
分布
長い指で木の実の中を
ほじったり　虫を捕え
たりする
こんなもんで
どうでしょう
ア……
アイアイ？
アイアイって
なんだ？
腹話術!!
ベルダンディー
のやつ……
う
え
わたしたちの
愛——
邪魔させない
わよ!!
ごくっ
ドキ
ドキ
もう
どうにでも
なれっ

どこか・・うめー店でも案内してくれよ
!!
まあ!! なんて純朴そうな青年
眼鏡の奥のその澄んだ瞳――
待って――っ
おいおい忙しいなっ!!
何やってるざます?

そこの眼鏡の人――!!
なんだ?
私と愛を育《はぐく》みましょー♡
どーしてうちのにわとりさんタマゴ産まないの?
オスだから・・うめないんだよ
まあやさしそうな奥さんとかわいい子供
ねーっどうしてー?

そんな
かわいい
奥さんを
持てる
あなたこそ
私の
求めている
男性よっ!!
発振球が
はずれ
たっ!!
えっ
誰?
……それ
さ……
さあ
ベルダンディー
手分けして
探そう!!
はい!!

どこに行ったんだ
はあ
はあ
先輩から買ったトレーナーなんか着てたから暑くてかなわねえや
梅……
な……な……
あっ
螢一……
げっ

わたしの事
本気で心配して
くれたんだね
わたし……
ドキッ
好きだった
んだよ
螢一の事
ずっと

うっ
スカッ
姉さん!!
あ……ああ
いくら姉さんでも
螢一さんは……
あ
螢一さんは……
私が
私の

私……
ぽん
ばかね
冗談よ
帰ろ!!
なに? どういう事
ほんとに
解毒符《げどくふ》
これが当たると薬が解毒される
本気じゃなかったのかしら
一方 田宮は今ごろきいていた
ぎゃーっ
大ちゃーん愛してるー

Chapt.25／おわり

Chapt.26

オオッ最強の敵ッ

う……
!!
なんだっ
これは!!
これより
おまえの
体を改造
する!
私のように
みにくい体
になっ

おーーしーー
つくつくつく…
はっ
はっ
はっ
くほいよーーす
つくほいよーーす
なんて
不吉な夢なんだ……
ゴゴゴ
この波動は……

あの波動と似ている……
それならとてつもなく大きな災いになるわ!!
8月25日発売! CDアルバム
すみません〝男の仁義〟のシングルありますか
右手奥になります
む?
黄金帝国
ワマチューコ
2枚組
¥4,800
DEMONS CD
こ……これは

いいぞ!! こいつはきっといいぞ!!
ああ買いたい!! 買って帰らねば!!
4千800円になります
新譜情報
8月7日
8月14日
8月29日 MUSIC from エクスカイザーII
REIO
おお聞きたい 早く聞きたい
ありがとうございましたあ
予約受付中
へんねぇ うちのお店にあんなCDあったかしら……
猫実工大《ねこみこうだい》寮
女人禁制
悪霊退散
はっ!!
DEMONS & GODS

なんだ
これはっ
なぜ
こんな物を
持っている
DEMONS CD
うちには
CDプレーヤー
なんて　ないの
にいい……
そうだっ
もしかしたら
普通の
プレーヤーで
よさんか
ばか者っ
FUSO
STEREO
まったく
にょろ
最近の大学生って
やつはCDくらいは
持ってると思ったが

我が名は
マーラー
一級非限定魔
一応　召喚
されたわけ
だから
おまえの願いを
ひとつだけ聞いて
やろう

びゅっ
むっ
きさま!!
どこから
入った!!
とっとと
出て行き
やがれ!!
願いは
聞き届けた
!!
ニッ
FUS
何なんだ
あいつは
なんとも
欲のない事だな
DEMONS CD

くっくっくっ
悪魔事務所一の使い手マーラー
いつまでも女神の思い通りにはさせんぞ
スカッ!!
トス!
結界!!
パシッ
いいですか?
私が来るまで絶対に出ないで下さいね

結界の中では
波動を
摑《つか》めないから
そう……
あの波動は
あの人の波動――
確かに感じたわ
もう そこまで
来ているかも
あの人
……か
なんだか
知り合いみたい
だなあ……

そうさ!!
知り合いも
知り合い
!!
深ーい
仲だった
のさ
きさまのような
やつは
立ち入れん
ほどのな
カエルに
きさまま呼ばわり
されるいわれは
ないっ
むっ
愚か者
夢の中で
聞いた 私の
声を忘れたか
おまえの
体を改造
するのだ

あの時の夢は——
うわああ
螢一《けいいち》さん!?
くっくっくっ結界を張って油断したな
ベルダンディー
そんな
あの結界はそうやすやすと破れるものではないわ

結界を張る直前に潜入していたのさ
おかげで私は結界の中で安全に事を運ぶ事ができたよっ
見ろ!!ケイイチはこのザマだ
螢一さん!!
そんな
御免なさい私の力不足のせいで
そっちだそっち!!
あ……

すぐに螢一さんを戻しなさい!!
これは一級神としての命令です
そいつぁ聞けんなあ
なにしろ私の仕事はおまえらの邪魔をする事だからな
まあせいぜいその醜いケイイチと仲よくな!!
ただいまあ
?

己のあるべき姿をとり返せ!!
なにやってんの？
あ……
へーーマーラー来てたんだ
それにしてもこっぴどくやられたもんねー
こっちだってば!!
人の事いえないけど…

あいつ子供の頃から性格良くなかったからねぇ
なんだ……幼なじみってやつか……
あの野郎おどかしやがって
大丈夫私が必ず元の姿に戻してあげるわ……
♡
でも悪魔の呪いを解くにはパスワードが必要なんじゃ……
それなのよ——っ
ぴょんぴょん
だから少しずつでもプロテクトを破ろうと思って
うまくいかないけど

はっ
ドムッ
それっ
バフッ
よしっ もう少し
あとは ウルドに おまかせっ
おいおい

ごめん
いいわ
どっちにしろ
パスワードがなきゃ
うまくいくわけ
ないもの
こうなったら
マーラーに
呪いを解かせる
しか……
――でも　あの
マーラーに
呪いを解かせる
手だてが……
触媒!?

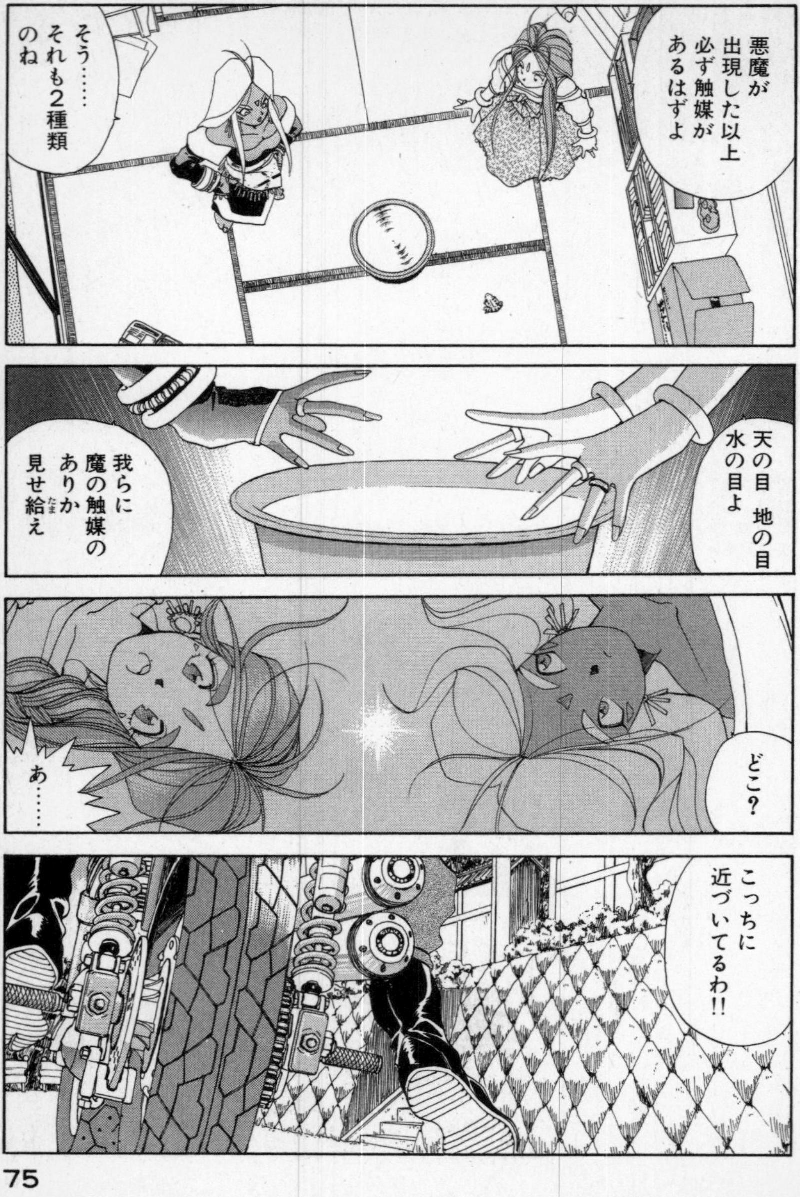
悪魔が出現した以上必ず触媒があるはずよ
そう……それも2種類のね
天の目 地の目 水の目よ
我らに魔の触媒のありか見せ給《たま》え
どこ?
あ……
こっちに近づいてるわ!!

がら
おーい森里《もりさと》ーっ
おまえん家《ち》CDプレーヤーないかーーっ
それよーっ
え？
DEMONS CD
……
当面の寝ぐらでも探すか……
スッ
その波動ベルダンディーか——

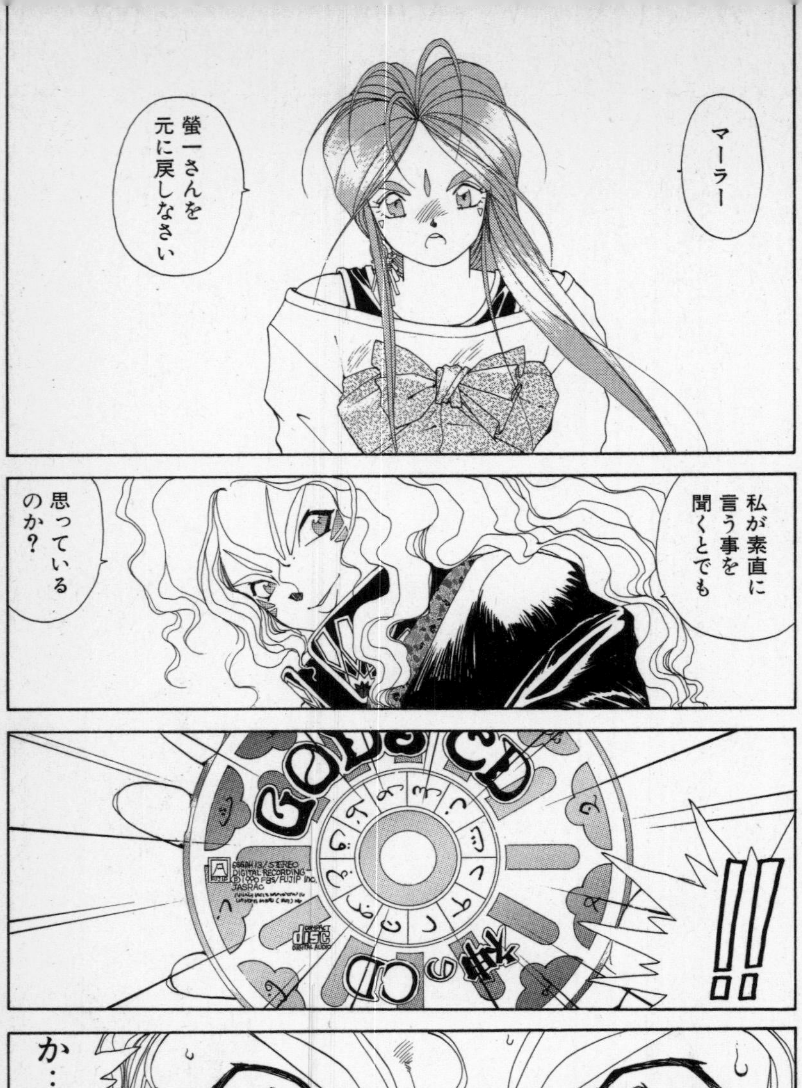
マーラー
螢一さんを元に戻しなさい
私が素直に言う事を聞くとでも
思っているのか？
GOD's CD
神のCD
!!
か……かかか

神のCD——ッ
そお悪魔の触媒とセットになっている
神の触媒!!
カッ
あなたを幽閉するためのね!!

待てっ
なぜだっ
なぜ
女神ともあろう者が人間ごときに隷属する!!
人間との契約などいつでも破棄できよう!!
私は契約のためだけにここにいるわけじゃないっ
ここにいるのは私自身の意志でもあるのよっ

くっ
くくっ
わ
わかった!! パスワードを教える!!
そして世の中は全て 平静に戻ったと思われたが——
きゃっ
きゃっ
騒動の火は消えていなかったのである
くそーっ 早いとこ寝ぐらをみつけんとな
兄ちゃん アンパン食うかね?

Chapt.26／おわり

Chapt.27

マーラーの逆襲!!

ピピピ……
ピピピ……
ピピピ
ピピピ
ピピピピッ
だ……
ぐわーっ
誰なの
これ!?

ぴぴ
えーと
昨日は
あれ?
落ちついて
あわてずに……
う……
うそっ
昨日 大学を出てからの
記憶が全然ない!!
そんなばかな!!
泥酔して記憶が
なくなったにしても
飲む前ぐらい
覚えてるはずよ
──の講義が
終わって
それから
──
車に乗って
うろうろ
記憶の糸をたぐって
いけば──

すとん
CD!!
そうよっ
昨日 CDを
買ったのよ
あのお店が
わかれば
──
ぴく
CD?
あったー
青炒老醜
STEREO
武江人民公社

CDだと
CDィイイ!?
!!
ふーっ
ふーっ
きゃあああっ
え?
DEMONS CD

あの悪魔はまだいるのか？
ええ
悪魔のCDと神のCDは表裏一体
2つそろって初めて効果があるんです
DEMONS CD
マーラーは悪魔のCDがないと帰れないし……
切り札である神のCDは渡せない
じゃあずっといるのか？
素直に帰る気になってくれたらいいんだけど……
無理か

神のCDで封じ込めちゃえば？

いっそのこと……

そいつはいい!!

あいつのせいで俺はトカゲにされたり

カエルにされたりしたんだからな

悪かったねカエルにしたのあたしだよ

封印する？

あ……いや

だめだわ

え？

封印したら解封までに500年はかかる

できればそこまではしたくないわ

87

――でも
きっと取り返しに
くる
このCDを
きゃーっ
きゃーっ
よせっ
こらっ
いやいや
――っ
やっぱり
あんたなんか
知らない
わ――っ
このっ!!
とん!

我が名はマーラー一級魔!!
おまえの波長が私を呼んだのだ
ドキッ
我と契約せよ
おまえはベルダンディーを追い出したいのだろう
べ…べるだんでぃ?
ぎくっ
なんかまずいこと言ったかっ?

ぐるだん
でいいの?
わああああっ
要するに
ベルダンディーを
追い出す
手助けをして
くれる……と
そ……
そういう事だ
なぜ そんな事を
知ってるのか——
でも これは利用
できるわ
いいわ
それで
報酬はいか程?

蟻せんべい
DEMONS CD
閉じよ防御の扉
我が命《めい》のある時まで――
開かんとする者に
雷《いかずち》の一撃を与えん!!
ふう
いいのか
神のCDまで
封印しちまって
これは
私自身への
封印でも
あるんです
簡単には
使えないように

ほほほ!!
そんな物
必要ないわ
ウルド
姉さんに
まかせ
なさい!!
えっ
ふふ……
ふふーん
ドどろドどろ
ぼこ
!!

すて
すて
あーっ
ひっどーー
いっ
流す時はちゃんとネットやストッキングで
あれ？
あんたね
いや……おっしゃる事はごもっとも……だけどね……
そうですよ
ちっこ
ちっこ
……
ちっこ
ちっこ

塩
ちっこ
ちっこ
ほんとに来るのか？
今日……
来る——!!
波動が強まっている
すーー

ピンポーン
来たっ
ん——
普通呼び鈴を押すかね
‥
たありゃああ
!!
……

ごめんなさい
あなたを狙ったわけじゃないの
あらぁ別に気にしてはおりませんわ
いつか仕返ししてやる
なにしに来たんだろ……
ちょっとお手洗いお借りしますわね
はいどうぞ
やつの家にある悪魔のCD……それを取ってきてくれ
それが報酬だ――
それだけならたやすい事よ

台所の封印された
箱って言ったわね
すす
あった!!
きゃああ
なんだ?
台所の方
ですよ
やーっ
とれなーい
いーっ
やーねー
人んちの物
盗み喰いしよう
なんて
ちがう
わよっ

なんとかしてやってよ
はい
我は封印の主なり
汝 我が声を聴け
解封!!
ふ
がらん
あーびっくりした
はあ
はあ
にゅっ
今だ
はーっはっ
はっはっ
CDはもらって
行くぞっ

ぐっ!!
これで私も自由の身ってわけだ
くっくっ
はーっはっはっはっはっ
がくん!
は……

こ……この
吸引力——
まさか!?
神のCD
——っ?
ばかなっ
なぜ
あそこに
——っ!!

ドンッ!
シュウウ
じゃあ ここにあるのはいったい―
……
レゲエの大将
悪魔のCD 使用上の注意
封印するの惜しかったもんで私が取り替えちゃったのよ
お願い マーラー このまま帰って

はっはっはっ
なめるなっ!!
今回はこっちにも
悪魔のCDがあるんだからなっ
!!
ひゅっ!

きゃはは
へんな
顔ーっ
いやーっ
うそよーっ
やめてー
だめーー!!
このままでは　みんなまで
吸い込んでしまう!!
どうしたっ
その程度か
ゴポ　ゴポ…
……
ゴポン…

にこ
な……
なにを
する気だっ
もし封じ込められても
神のCDとの相互作用で
出られるかもしれない
すっ

やめろおおお
まさか
こんな事に
なるとは
しかし私も
仕事柄
やめるわけには
いかんのだ
な
なんだっ
ガタッ
ゴボ
ゴボ

!!
ゲロンゲロン
はむっ
ああーっ
あ……さっき私が作ったやつだ……
頼むーーっ出してくれーーっ
んぐんぐ
うんこになって出てくるまでダメなんじゃない？
だからネットをつけなさいって言ったのに……
そーゆー問題じゃないってば

Chapt.27／おわり

Chapt.28

愛の天《てん》秤《びん》球《きゆう》

わーーっ
返せーーっ
そりゃ明日提出の課題だーーっ
螢一《けいいち》ーーっ
外はいい天気だ
遊びに行こーーぜーーっ
一日中部屋にいちゃ体が腐っちまうよっ
このーーっ
わら
わらわら。

いい加減にしなさーい!!
キーーン キーーーーン
キーーン
螢一さんはマーラー騒ぎで課題ができなかったのよ!!
でもウルドの言う事ももっともね
少し気分転換に行きましょ

くっ
くっくっ
せいぜい今のうちに幸せを楽しんでおくがいい
こんっ
いつまで家でTV観てくつろいでんのよ
ベルダンディーを追い出す約束でしょ
きさまに言われなくてもやっている

何？　これ
手品師か？
あんたは…
螢一の心の
バランスの
インジケーター
だ
人の心は
バランスを
崩せばどちら
にでも傾く
望み通り
やつはおまえの
モノになる
やめてよっ
私の目的は
ベルダンディーを
追い出す
事なんだから
あいつは
手段に
すぎないわ
手段に
すぎないいん
だから

クリーニング
NOVA
うーん 外の空気は おいしいや
出て来て よかった でしょ?
楽しむばかりじゃ だめだけど 楽しむ時は
めいっぱい 楽しまなきゃ
ね
そう……だな
よしっ 今日は 夕方まで課題の 事は忘れよう

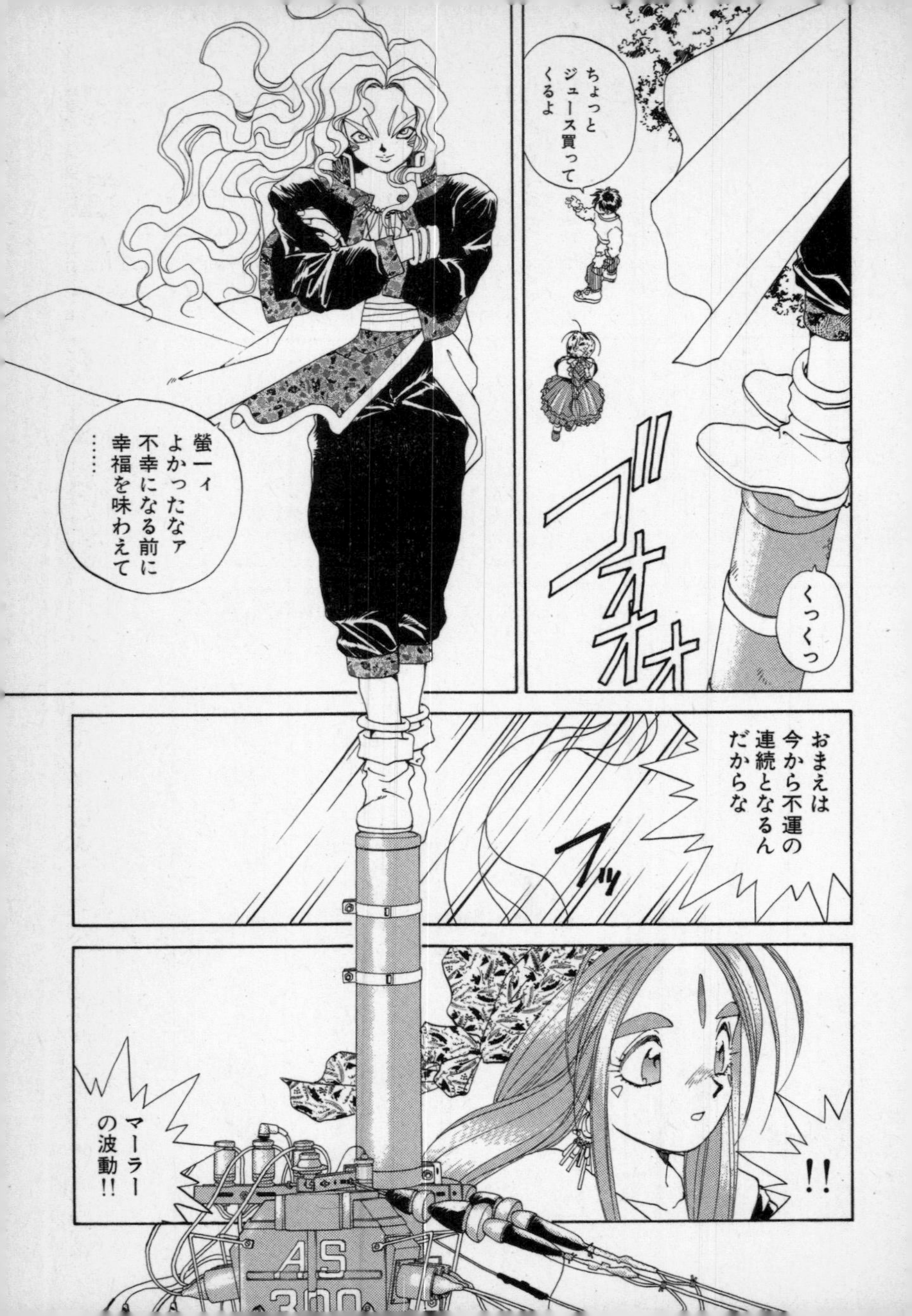
ちょっとジュース買ってくるよ
くっくっ
ゴオオオ
螢一ィよかったなァ不幸になる前に幸福を味わえて……
おまえは今から不運の連続となるんだからな
バッ
!!
マーラーの波動!!
AS 300

ほんの少しだけで
消えたけど
間違いない
螢一さんが
あれ？
ぴ
おーーい
どうしたん
だよおーーっ
金も
戻って
こないぞーーっ
電源でも
切れてん
のか？
目覚めよ
我が下僕《しもべ》
ガロン……
がこっ

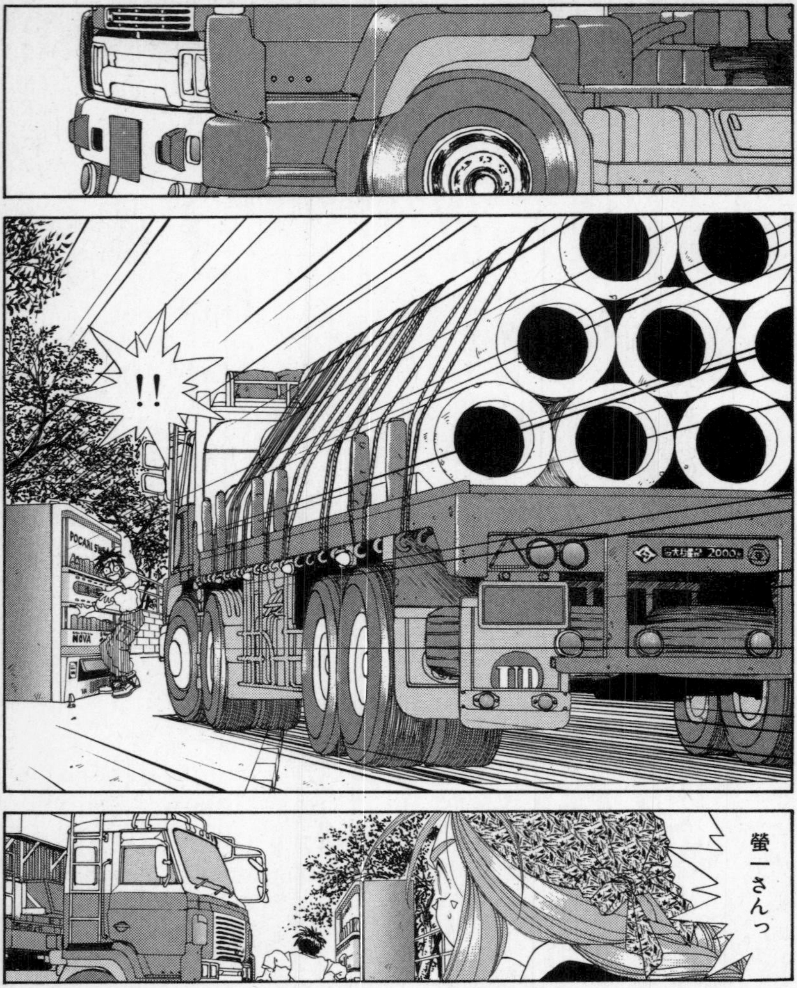
!!
螢一さんっ
よーし
行けーっ

※空気の気ではなく武道でいうところの気

ごほっ
ごほ
てーーっ
なんなんだいったい
!!
だわーっ
鋼鉄《はがね》の杖《つえ》よ
集《つど》いて魔の暴走を制止せよ!!

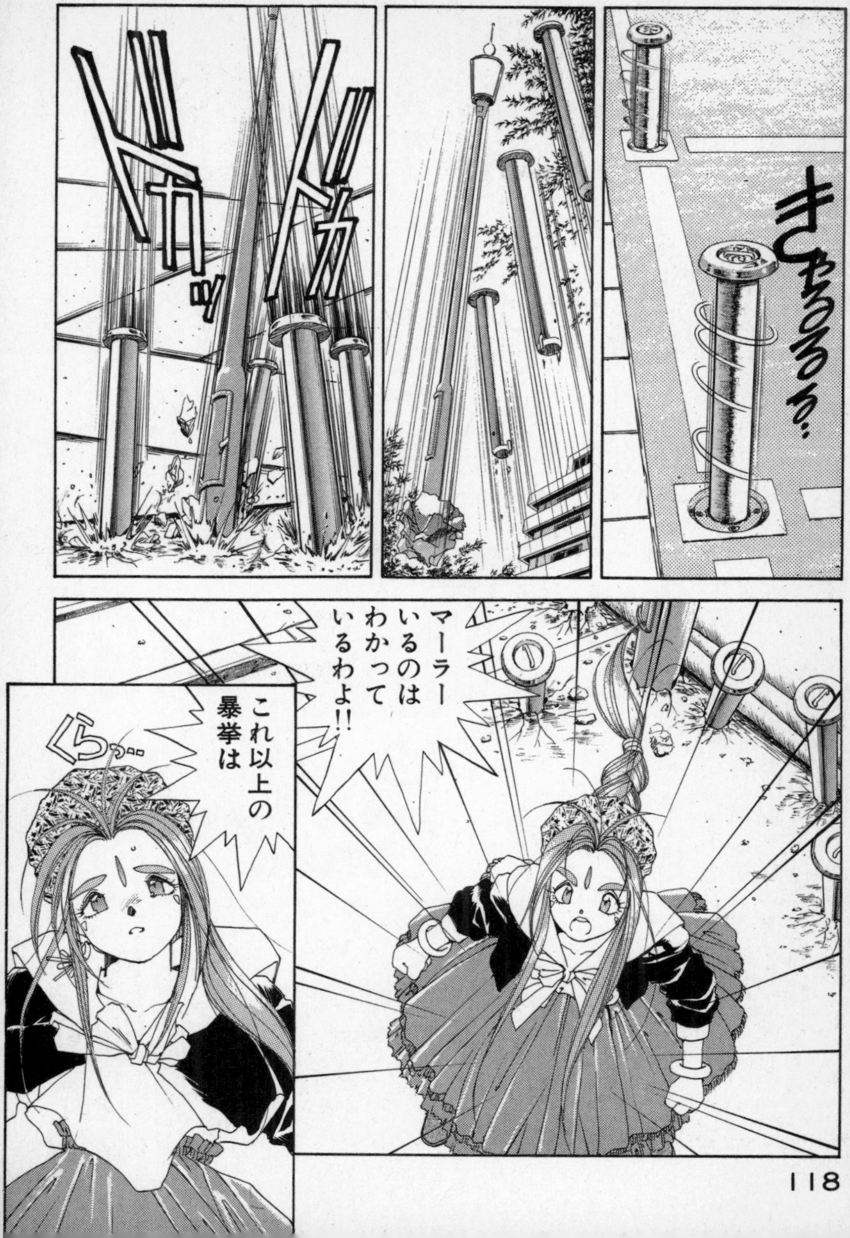
きゅるるる…
ドカ
ドカッ
マーラー いるのは わかって いるわよ!!
これ以上の 暴挙は
くらっ

許さ……な……い
わ——っ
気球《きだま》で力を急激に消費したか……
意外とあっけなかったな
すまんっ俺のせいだっ
また力を使わせちまった!!
ごぽん
おお——っ
おお-っ
駐車違反
おのれマーラー

私は何もしてないぞ……
もしかしてあいつって元々《もともと》すっごく運の悪いやつなのでは……
ぶわっ
!!
螢一……おまえがいたから
ベルダンディーが倒れたんだぞ
うるせー おまえに言われる筋合いはないね
元はといえばお前がやったんだろう
いいや大いにあるね
何しろ

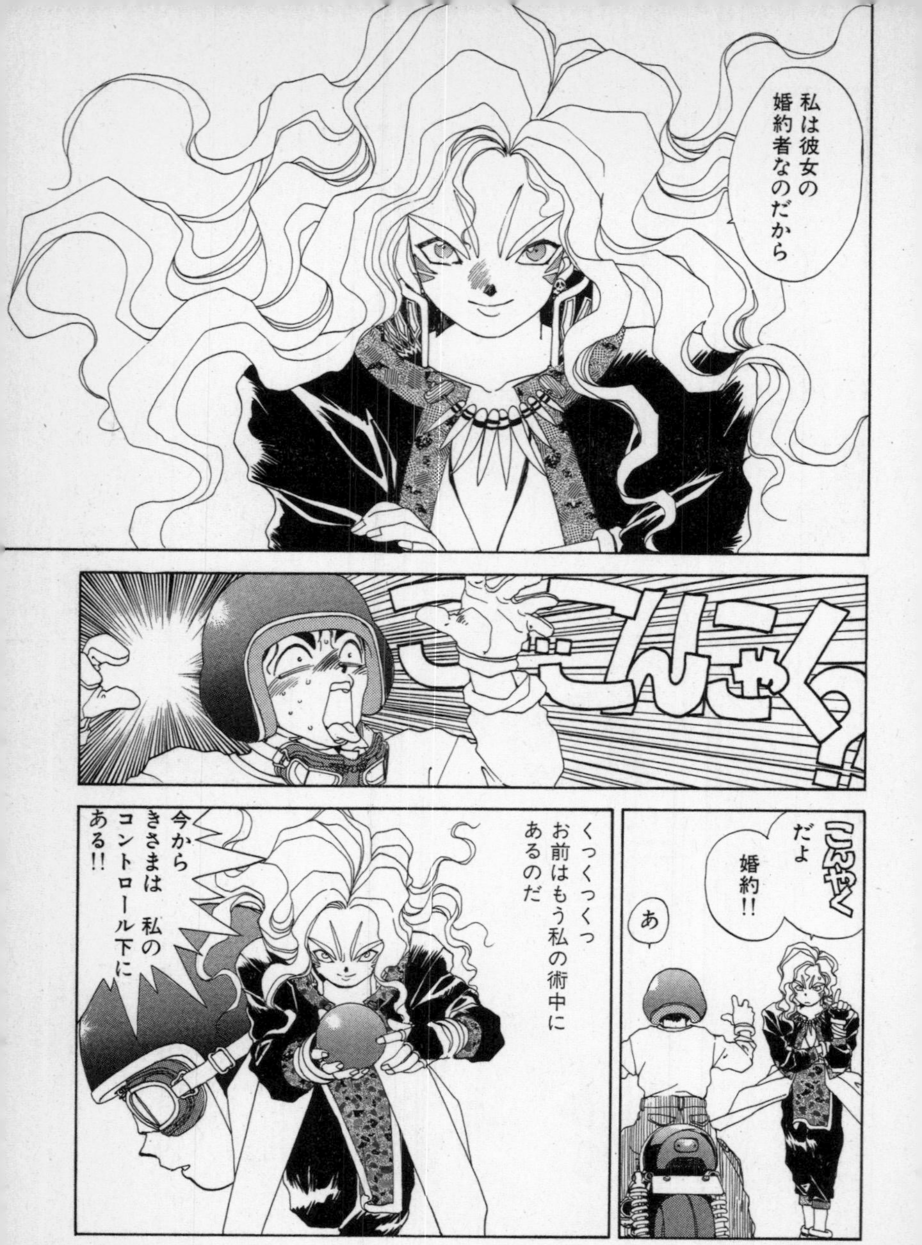

私は彼女の婚約者なのだから
こんにゃく!?
こんやくだよ 婚約!!
あ
くっくっくっ お前はもう私の術中にあるのだ
今から きさまは 私の コントロール下に ある!!

16 17 18 19 20
23 24 25 26 27
30 31
ただいま……
人の病だけじゃねェ
あららまた力を使いすぎたのね
どうしたの?
いや……別に
また螢一が無理させたんでしょお!!
無理させたんでしょ
無理させたんでしょ
!!
螢一——っ復活剤作ったよォ——

お――い
螢一よ
――
どこ
行ったんだ
？
!!

ばら
ばら
ばら
ほほほ
ばかにおしでないよ!!
ひゅん
ひゅん
しゅぱあ
あんたにやられる程あたしゃ甘かないよ
それはどうかな?

たんっ
ヒュン
!!
かちっ
あっ
しまった――
これは……
よし……
そろそろいい
だろう!!
ぶ…ーん
もうすぐ
バランスは
崩れる

踊れ螢一
我が手の内で
くっくっくっ
……
どうしたの
さえない
顔しちゃってさ
沙夜子《さよこ》……

その頃ウルドは
まったく
すーーっ
すかーーっ
甘くみるなって言ったのに……
一人だけ分けといてよかった
げっ
こりゃ演歌じゃないの!!
男度胸でどんとこーーい
私が演歌を聞くと寝てしまうと知ってて……
まったく悪魔のようなやつ!!
あ…悪魔か…
まずベルダンディーを起こさなきゃ

ふーーん
……そう
でもさ…… それって
ベルダンディーが好きでやってるおせっかいでしょ
森里《もりさと》くんが気に病む事ないわよ
しかも突然婚約者だなんて三文小説じゃあるまいし……
私にしなさい おせっかいじゃないし 常時フリーよ
おまえ いいやつだな
なぐさめてくれてるんだろ 一応……
いや別に そういうわけでは…
よしよし いいぞ いいぞ

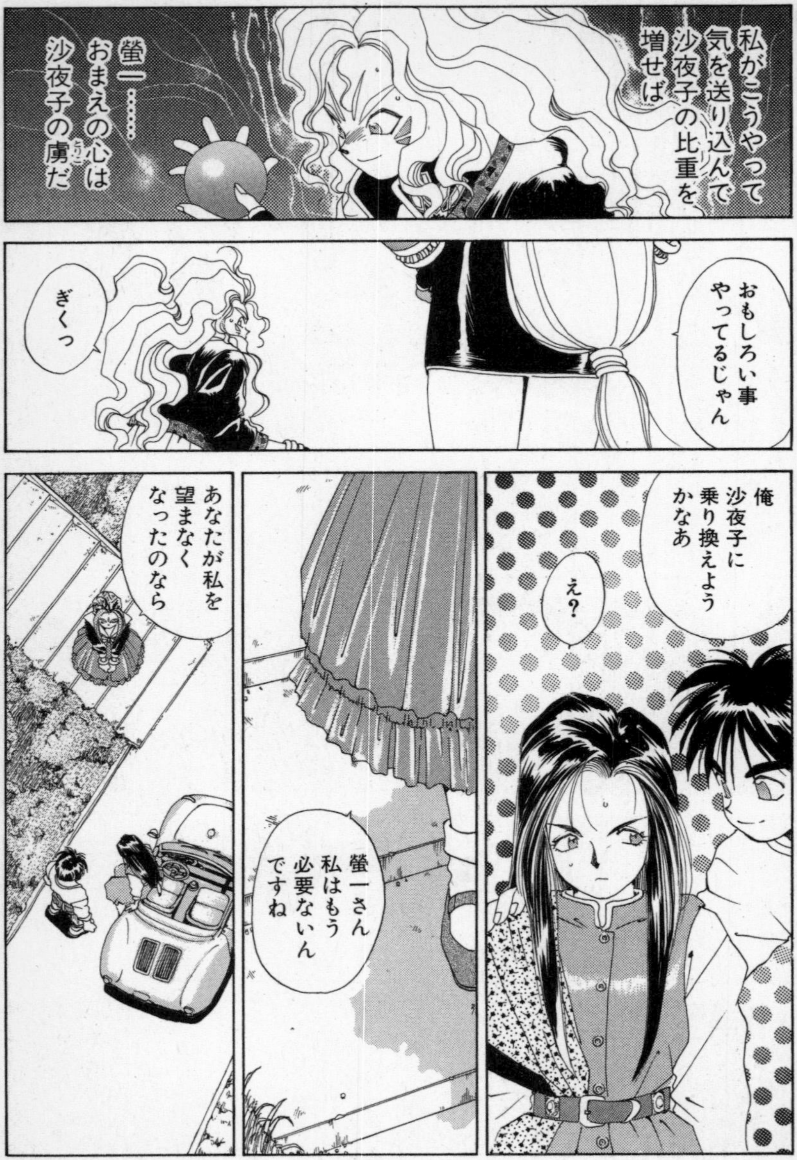
私がこうやって気を送り込んで沙夜子の比重を増せば
螢一……おまえの心は沙夜子の虜《とりこ》だ
おもしろい事やってるじゃん
ぎくっ
俺沙夜子に乗り換えようかなあ
え？
螢一さん私はもう必要ないいんですね
あなたが私を望まなくなったのなら

私はもう帰るしかありません
いままでありがとう螢一さん
そうか……その方がお互いのためかもしれないいな
違う
楽しかったよ元気でな!!
違うんだっ!!

違うんだっ!!
!!
そんな事言いたいんじゃない!!
俺の意志じゃない!!
その通り
すべてはマーラーがこの天秤球《てんびんきゅう》で仕組んだ事よ
ね……マーラー

くそ
おのれェ 私がロックを聞くと踊り出してしまうと知って――
この悪魔!!
あ・悪魔は私か――
ぱっ
ところで あの婚約者の話は……
婚約者? マーラーが?
あんた そんな事言われたの
はーっはっはっ
な……なんだよー
そんな事あり得ませんよ
マーラーは女ですもの
だーっはっはっ
な……なにいいい?
いつまで踊ってんのよ――っ 帰るわよ
あぁ――っ テープを止めて――っ
くるくる
すた

Chapt.28／おわり

Chapt.29 悪魔,最大の厄《ヤク》日《ビ》!!

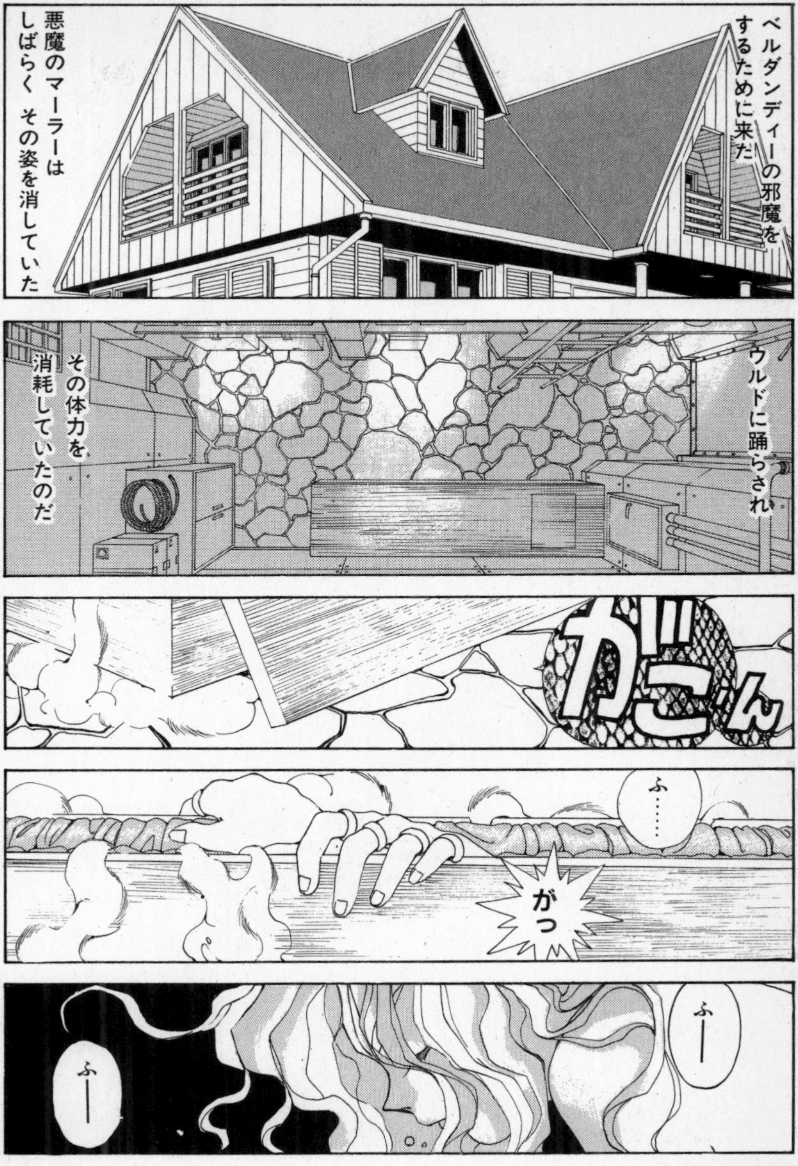
ベルダンディーの邪魔をするために来た
悪魔のマーラーはしばらく　その姿を消していた
ウルドに踊らされ
その体力を消耗していたのだ
がこん
ふ……
がっ
ふーー
ふーー

ふーーっ
どうも日本の棺桶はサマにならんな
ペタッ
ふーーー
ウルドにやられて ずいぶん眠らされたが……
むん
キュウウウウウーン
いったい今日は何日なんだ
私が復活したからには
シュウウウウウウ
螢一《けいいち》!!
きさまのめでたい日も今日までだ

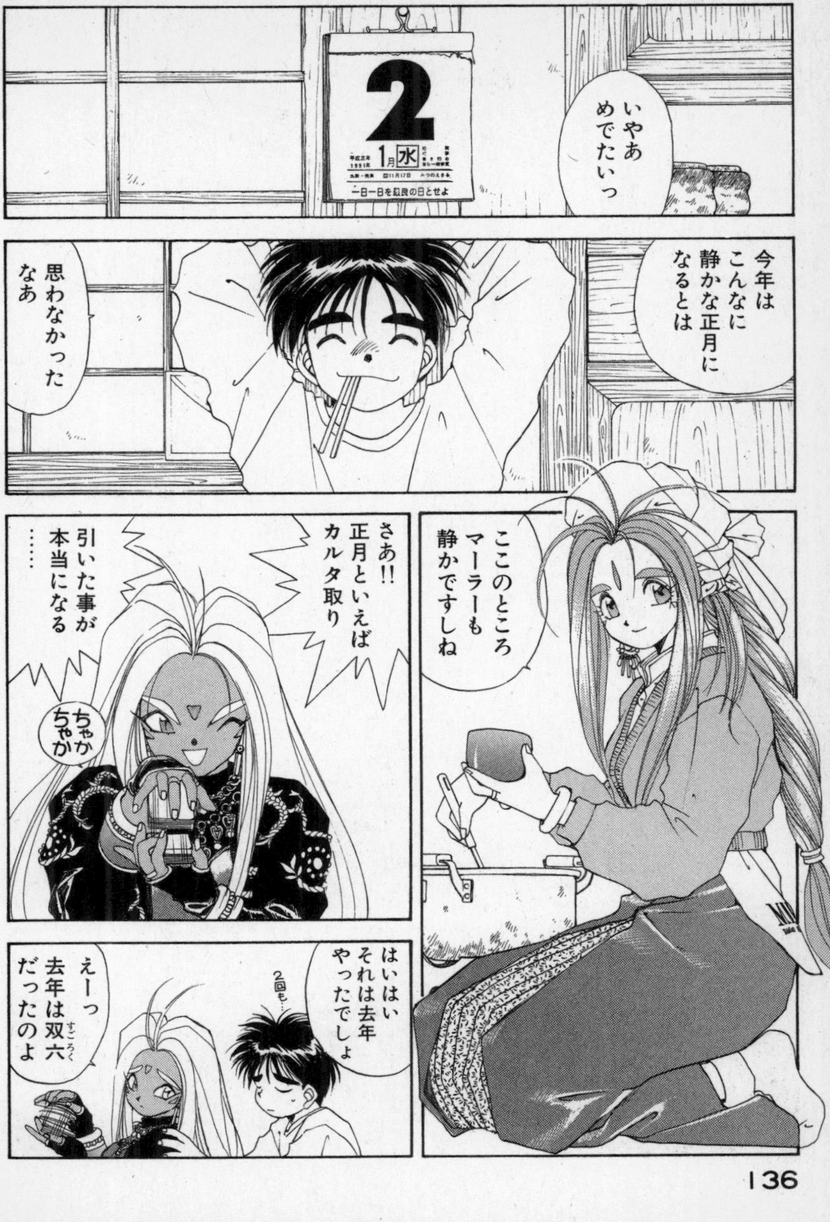
2
1月 水
一日一日を最良の日とせよ
いやあ めでたいっ
今年は こんなに 静かな正月に なるとは
思わなかった なあ
ここのところ マーラーも 静かですしね
さあ!! 正月といえば カルタ取り
引いた事が 本当になる ……
ちゃか ちゃか
はいはい それは去年 やったでしょ
2回も…
えーっ 去年は双六《すごろく》 だったのよ

それにしても遅いなあめぐみのやつ
あら今日これからみえるんですか
まったく何考えてんのかね螢ちゃんは
自分んとこお寺のくせに破魔矢《はまや》頼むなんて……
KSR
んぱ·らら
それにしても冷えるわ
こんな時は車だったらって思うわねえ
ぶるっ!

くっくっ
くっくっ
そうか
おまえ 螢一の
知り合いか
車だったら
とか言ってたな
よーし
それではおまえは
車になれっ!!
きゃーっ

ハーーッ
ハッハッハッ
案ずるな!!
螢一や
仲間達も
すぐに同じ様に
してやる!!
螢一のやつは
今度は
何にしてやろう
三輪車なんて
いいよな
いっそバケツとか
トイレットペーパー
とか……
すたっ
うおっ!?

ぬうう!!
……意識が!!
ふらふら…
すたっ
マーラーはめでたい物に対してアレルギーがあった
おんご——っ
ほんとに遅いなあ
うっ!!
ちょっと見てくる
あ……私も
だーっははは

誰だ
こんな物で
乗りつけ
てるのは
螢ちゃーん
え?
めぐみ?
どこだ?
ここ
だよお
この車――
まさか?

やっぱりー
めぐみちゃんの
気が出てる
めぐみちゃんの気↘
ここだってばーっ
せめて動けるように
あーーっ
もうっ
クルマが
私なのよっ
おおーーっ
ナイト2000
鈍い
わねっ
ぎしぎしっ
ばったん
ばったん
……
しばらく
見ないうちに
格好よく
なったな
それが
車になった
妹に言う
セリフ？
夢よね!!
これは
夢よね
ーーっ
ンガラララララ
じゃなきゃ
私スピンターーン
なんて出来
ないわっ
う……
うーーん
!!

あ……
頭が痛アーい
マーラーやっぱりおまえのしわざか
あら……初めまして
え？
え？
は？
この破魔矢を踏んだのね

きっと これのせいで記憶喪失になったのね
マーラーが縁起物に弱いとは知らなかったわ
この大入り袋はどうかなあ
ああっ頭が痛いっ!!
よしなさいよ
ごめんなさい何だか 私
ひどく皆さんに迷惑かけてたみたいで……
俺は何だかマーラーがこのままの方がいいなあ
そうもいかないんですよ
なぜ?

マーラーがかけた術を解くにはパスワードが必要なんです
パスワードの組み合わせは∞《無限大》といえます
つまりマーラーの記憶が戻らなければ……
めぐみは一生あのまんまという事に……
ちょっと!! いつまで待たせんのよ
こっちはワケがわかんないのよ!!
まあまあ自動車の気分なんて滅多に味わえないじゃないか
全然フォローになってないわよ
こうなったらスピンターンよスピンターン!!

……という事で
なんとか記憶を取り戻してもらう事になりました
お手数かけます
それではまず 私が
記憶喪失に一番効くといわれている
ショック療法で!!
TVで見たな!!
ほんっとに悪魔向きだな おまえ
あ……
こてっ
どん
息を30秒とめるとか
水を一気に飲むとか
そりゃしゃっくりのとめ方だよ

ショック療法は使えるかもしれないよ
受けたショックと同種の物にすれば……
……でもそれによってさらに悪化するかも……
うーすらとーんがち
やります私!!
いくら覚えてないといっても自分のした事は
自分で責任を取らなきゃ
なんかひどく好感の持てる人になってない？
ほらほら カメだよーっ
これもあの破魔矢の効果かしら
いくわよ

くっ
つん
あ!!
ああっ!!
どき どき
わくわく
頭がいたあい
き……きかないじゃないか
免疫だわ
免疫ができて効果がなくなってるのよ

ごめんなさい 私が思い出せれば いいのだけど
思い出す 糸口がみつから ないんです
めそめそ
妹さんの事が なければ 見捨てて頂いて 結構なんですけど
ふわっ
大丈夫 誰も見捨てたり しないわ
あなたと私は 幼なじみでしょ
いーなーくそっ マーラーの やつ…
何か他の 手を考えるわ
ここで 待ってて

ぐつぐつ。
ごぱっ
ごぽ
ごぱ
ほほほ!!
このウルド特製
記憶回復薬
ウルドルゲンXで
回復しない記憶は
ないわ
マーラー
入るわよ
すいっ
きゃーっ
やめてーーっ
ぷるぷる
んまあ

ガォオオォーーオ
ドッダーンバッタ
逃げられたですってえ――っ
何ボーッとしてたのよ螢ちゃん!!
ずこーんばっこーん
ひょい
とにかくこれで早いとこ追いかけよーぜ
!!
いやあ何これウルドが小さいわあ
2人乗りだから小さくなったんだけど……
わかったわーあなたたちの正体は
魔法使いねっ!!
チックルとかメグちゃんとか……そういうのねっ
夢だものっ何でもありね

なるほど……
私の破魔矢のせいなんだ
じゃあさ もっと強力に めでたい物を ぶつけたら どうなるのかな
!!
やったーっ めぐみ さえてるじゃん
じゃあ すぐ 先輩ん とこ行こうぜ!!
あそこは いろんな物 あるから
ちょっと待って
え?
おなかすいた
あーーっ GASがないっ!!
Z/100 SUPER PREMIUM
いらっしゃいませ
レギュラーで?
ハイオクじゃなきゃ嫌っ!!

きっと私って悪魔の様な人だったんだわ
いっそ記憶なんて戻らない方が世のためかもねぇ
きぃ
マーラーーッ
あなたが記憶を取り戻さなければめぐみちゃんはあのままよ
お願い取り戻して めぐみちゃんのために

あなた自身のために!!
バキーン
ごっ!!
ガシャッ
シュウウウウウ
う
く……

おかげで
頭の中がスッキリしたよ
しかしくっくっくっ甘い……
甘いなあ
はーっはっはっ
記憶を取り戻した私がパスワードを教えると思ったのか!!

思ってないよ
招き猫
紅白の垂れまく!!
は……
福助のおき物!!
こうして　めぐみは元に戻ったが……
めぐみちゃんどうしましょう
ショックで気絶してるうちに部屋に連れてって寝かしちゃえ
こうして　すべては丸くおさまった
い……いやな初夢を見てしまった
おまけに昼過ぎまで寝ちゃった
——というわけでもなかった
何ーっ壊したーっ
高いんだよあれは!!
ぺこぺこ
正月は恐い物でいっぱいだから来年からは出るのをやめよう

Chapt.30

エンジンの神秘

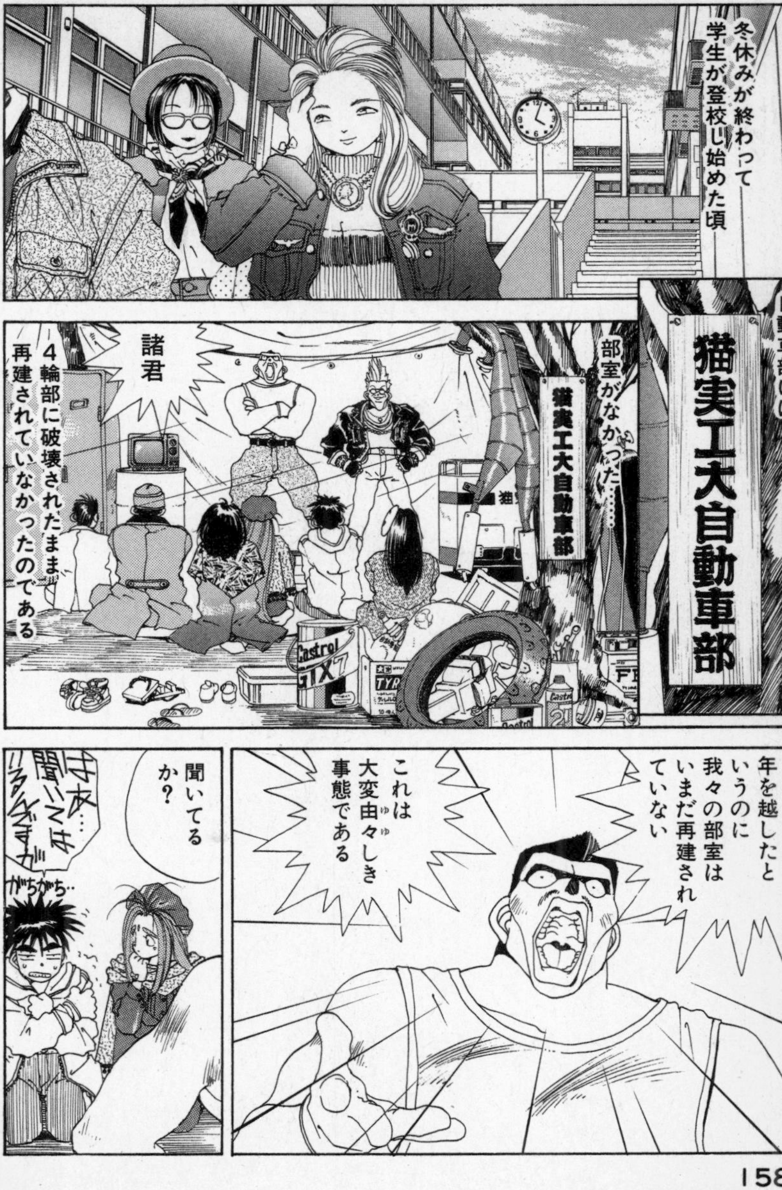
冬休みが終わって
学生が登校し始めた頃
自動車部には
猫実工大自動車部
部室がなかった……
猫実工大自動車部
諸君
4輪部に破壊されたまま
再建されていなかったのである
年を越したというのに我々の部室はいまだ再建されていない
これは大変由々《ゆゆ》しき事態である
聞いてるか?
はあ…聞いてはいるんですが
がちがち…

学祭の時の入場料はどうしたんですか?
副部長会計報告
入場者数は1254名入場料は200円だったので
1254×200=25万800円になります
しかしながら塗料代に5万1千500円ガス・オイル代に15万4千500円……
差し引き4万4千800円の利益です
修復は大学の備品を使ったのでタダ!!
おお――っ
たった4万…
よって諸君らには
――で
今どき封筒張りか
あら結構楽しいですけど
折って……
張る
1時間後
折って……
張る

んが―― こんなんで 100万も かせげるか!!
なんとか ならんのか ――っ
しゅううう
一獲千金なら このウルド様の 十八番《オハコ》よ!!
ほほほ
ズズズズズズズズズ
なんで そんなに いやそうな顔 するのよ
え? そんなに いやそうな 顔してる?
まかせてよ 今回のは 自信あるんだから

ガシーン
六神合体!!
ゴゴゴ
カッ
キュウウウン
いでよ六神!!
2 信楽焼の狸
1 打ち出のこづち
3 鯱
4 招き猫の手
5 福助の裃
6 紅白の垂れ幕
どんっ

どーだ
……
この六神合体福神にかかれば
一獲千金などたやすい事よ!!
だけどこんな物が人に見られたら……
森里《もりさと》――!!
頼むっこれ譲ってくれ!!
こんなめでたい物初めて見た――っ
いや譲ってくれと。いわれてもですね

ここか……
ちわーー 速達ですが 部員の方 いらっしゃいます？
は？
なんれふか？
日本省エネルギー協会？
なんだこりゃ
おおっ
優勝賞金 50万円
史上最大の 第2回 エコノミーラン 御案内
なんと優勝賞金50万!!

よおーし
それだ!!
その金で
部室を建て
直すのだっ
え?
"それだ"って
先輩が応募
したんじゃ
……
知らんよ
大《だい》ちゃんだろ
いや
俺じゃないよ
!!
速達
猫実市植木定町馬手殳 十六-七
猫実工大四輪部 様
どうすべ
もう開けちゃったよ……
我々は
こんな封筒は
見なかった
なあっ
そうだろう
みんな
ベリッ
ベリッ
50万は
自動車部が
もらった!!
おおーっ

自動車部のやつ……盗っ人たけだけしいとはこの事ね
急いで青嶋《あおしま》様に連絡よ
NIT FWC
猫実工大四輪部
——という訳です
そうか
こっちが実績を上げてやつら《自動車部》を廃部に追い込んでやろうと思ったんだが
それならそれでかえってこっちにもやりようがある
まあいい
出場ぐらいどうとでもなるほっておけ
はっ
ごと

チュイイイーン
何やってんの
コンロッドを軽量化しようと思って
あとはツインプラグ化して燃料効率を上げるとか
燃焼室形状も変更したいんだけど
排気量が変わっちゃうからダメなんだ
コンロッドやピストンを作り直す暇ないし
そんなめんどうくさい事しないでエンジンを動かしてる小人に頼めばいいのに
……
やめてよ
これだから メルヘンの国の人は
おい森里 アルミフレームの材料 取りに行くぞ――
取りに行くってどこへ？
4輪部
N.I.T F.W.C
NEKOMI INSTITUTE OF TECHNOLOG
FOUR WHEELS CLUB

ぷるぷる
……
貸りたぞ
自動車部
あいつら——
アルミサッシなんぞどうするんだ
ひゅううう
ようしこれでアルミフレームはOKだ!!
次は自転車部に行って車輪を調達するぞ!!
おお——っ
もうどうにでもしてっ!
CHALLENGE TO MINIMUM
エコノミーらんRUN大会
優勝賞金50万円
エコノミーランとは——
平たくいえば燃費競走である
車検受付
1ℓの燃料を積んで一定の時間内に一定の距離を走り
猫実《ねこみ》工大自動車部さん
車検OKです
どーも
消費量の少なかった者が勝者となる

あ
車検　どうでした？
一発で通過!!
毎度の事とはいえ
よくできたもんだなあ
まったくたいしたもんだ
ウチのアルミサッシでこんな物を作るとは……

青嶋――!!
いやあ　ひさしぶり　先輩
実は私も　あなた方の部室は　気の毒に思いましてね
なんとかしてあげたいと思いまして
どうです
勝った部が負けた部を吸収するってのは
――するってえと　勝てば優勝賞金と　部室が転がり込んでくる……と
先輩!!　受けちゃダメですよ
どうせウチは　廃部同然
失う物は　何もない!!
よおーーし　受けたっ
先輩!!

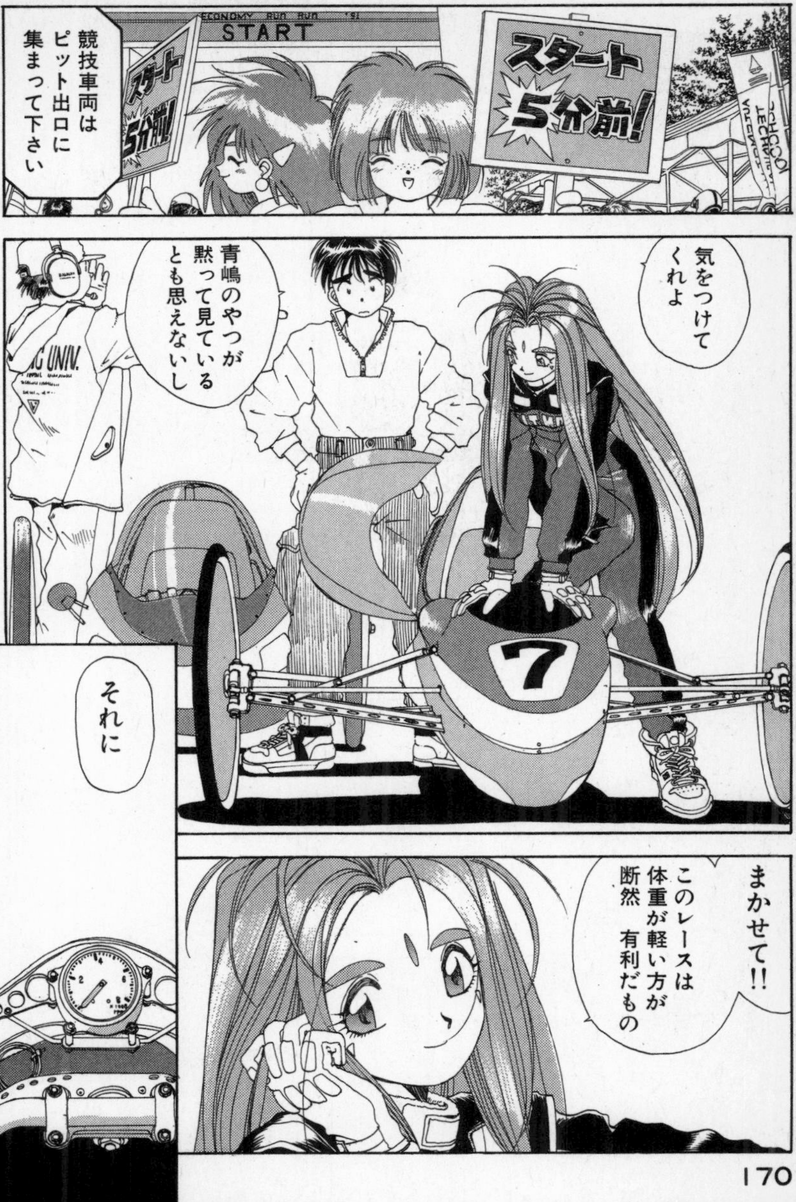
START
スタート 5分前!
競技車両は ピット出口に 集まって下さい
気をつけて くれよ
青嶋のやつが 黙って見ている とも思えないし
それに
まかせて!!
このレースは 体重が軽い方が 断然 有利だもの
7

みんなが一つ一つ組んでいった車ですもの
ナット一つに至るまで みんな私のお友だちよ
猫実工大自動車部スタート
ばかめ!! カーボンモノコックのウチの車に勝てる訳がなかろう
おい アレはやったのか?
はい
車検の時に検査員に紛れ込んで
この油溶性カプセルを入れておきました
こぽ
C—5
うわっ一発命中!!

先輩
まじめに
やって
下さい
だって
なあ……
やる事ねーん
だもん
ジャーーーッ
エコランは常にエンジンを
回して走りつづける訳では
なく……
NIT MCC
加速しては
惰行をするという
繰り返しで
走行するのが
テクニックの一つである
さあ
みんな!!
また目を
覚ます時よ
みんな
がんばろ
——ね
しゅううう…

ガズッ
ガズッ
ガズ
え？
どうしたの？
!!
螢一《けいいち》さん
エンジンが!!
なにっ
先輩!!
もーいいです
ずごーーっ

うわーっ
カーボンで
まっ黒だ
小人が
サボってんじゃ
ないの？
あのね
そうかも
しれない
わね
もし
もーーし
かぱっ
さっ
おっと

あっ!!
なぜ働くのをやめてしまったの？
小人が5人!! 1人あたり10ccか——!?
へっ
わら
わらわら
てやんでえ自分の胸に聞いてみなっ
ウルド!!
まかせとき!!

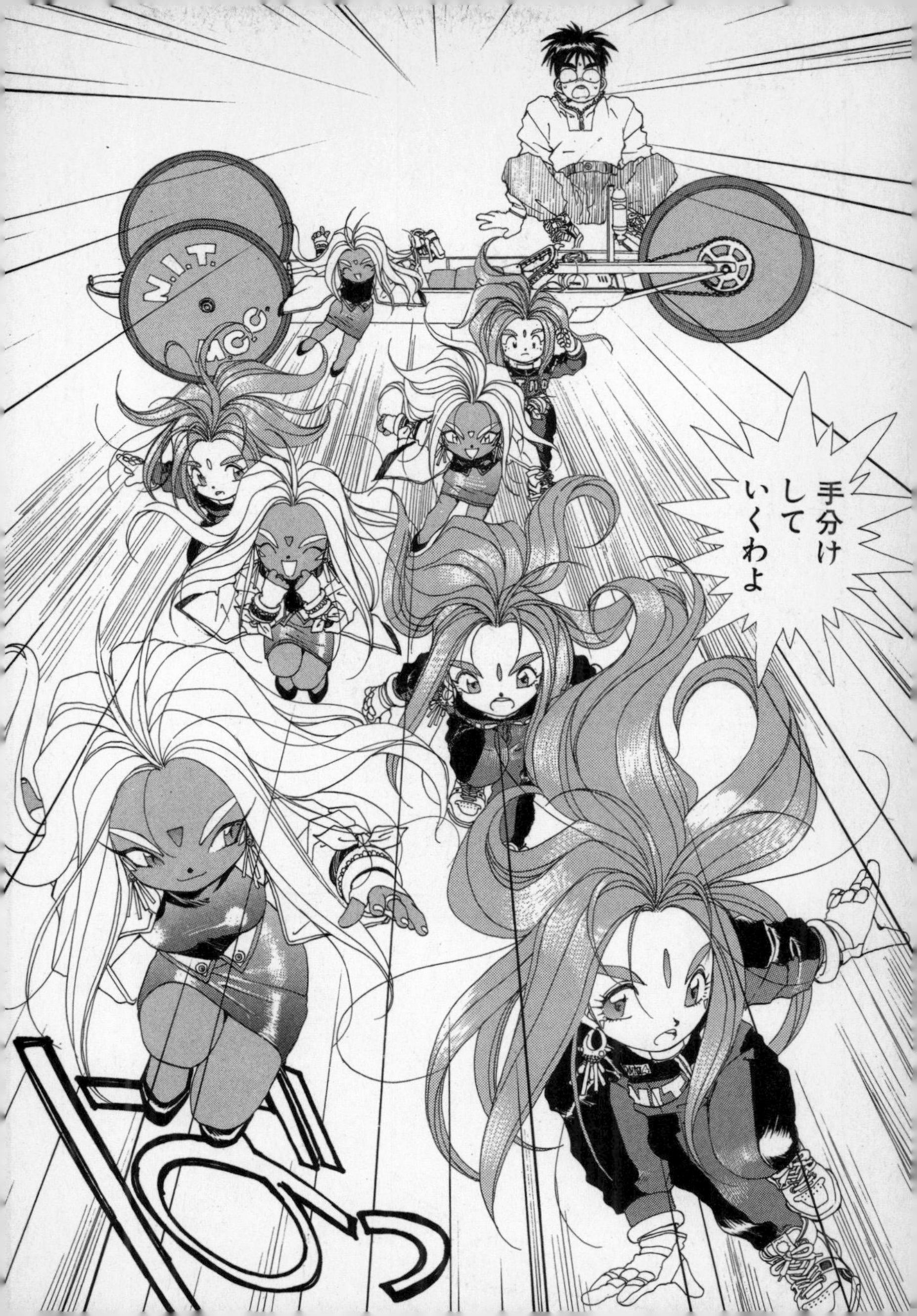
N.I.T.
手分けしていくわよ

吸着!!
うわ――っ
ばさっ
みんな集めた?
距離が近くないとダメなのよねこれ
あらっ1人足りない
みんな逃げたか?
ああ……
はあっ
はあ
!!
む……胸が
胸が苦しい

ああ……
お願い
胸を……
胸をさすって
む……
むむ 胸っ
ちゅうと
ここ
れふ
か——っ
どさどさどさっ
少しは
疑いなさいよ
張り合いのない
さあ答えなさい
どうして
やる気をなくし
たの？
これでさあ
本田組

灯油の匂いだ
こんな物まぜられたんじゃあ働けやせん
青嶋のやつーーっ
証拠がないけど……
お願い信じて……
それは誰かの妨害工作よ
許せん！あっしらァ曲がった事がでえっきれーなんだい
よござんす死ぬ気で働かせてもらいやしょう

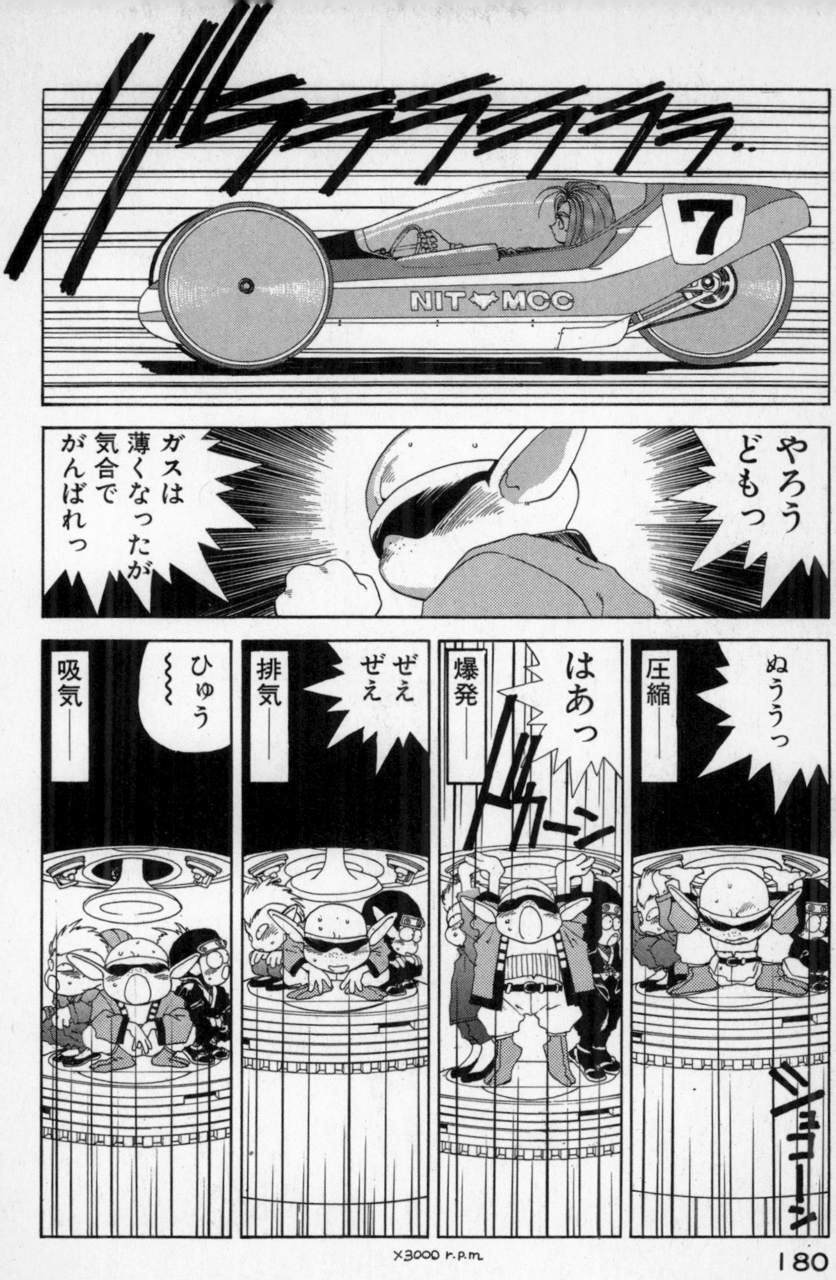

バララララララ‥
7
NIT MCC
やろうどもっ
ガスは薄くなったが気合でがんばれっ
圧縮──
ぬううっ
シュコーン
爆発──
はあっ
ドカーン
排気──
ぜえぜえ
吸気──
ひゅう〜〜〜

×3000 r.p.m

うら
うら
うら
うらうら
うら
ガァララララ
うら
うらうら
うら
うら
ばかめ!!
そんなペースで燃費がいい訳ないだろう
馬手川農大
猫実工大四輪部
猫実工大自動車部
やった―
え
優勝!
猫実工大自動車部
!!
ん――?終わったのか?
……
うそだ―
先輩たちが取ってったんでしょうが
こうして自動車部が手に入れた部室には
なんだこりゃあ
窓ワクがなかった
ひゅう～
1

ああっ女神さまっ④／おわり

「ああっ 女神さまっ」第4巻は、アフタヌーン'90年9月号から'91年2月号、および'90年4月号に掲載した作品を収録しました。

編集部では、この作品に対する皆様の御意見・御感想をお待ちしております。

また、今後「アフタヌーンKC」にまとめてほしい作品がありましたら編集部までお知らせ下さい。

東京都文京区音羽二丁目十二番二十一号〈郵便番号一一二—〇一〉
講談社「アフタヌーン」編集部
アフタヌーンKC係

N.D.C.726　181P　19cm

アフタヌーンKC—1021

ああっ女神《めがみ》さまっ ④

一九九一年　五月二十三日　第一　刷発行
一九九六年　九月　二十日　第二十三刷発行
（定価はカバーに表示してあります）

著者　藤《ふじ》島《しま》康《こう》介《すけ》
発行者　山野　勝
発行所　株式会社講談社
東京都文京区音羽二—一二—二一
郵便番号　一一二—〇一
電話　編集部　東京（〇三）五三九五—三四六三
販売部　東京（〇三）五三九五—三六〇八

講談社

印刷所　廣済堂印刷株式会社
製本所　永井製本株式会社

落丁本・乱丁本は小社雑誌業務部宛にお送りください。送料小社負担にてお取替えいたします。（電話03-5395-3603）なお、この本についてのお問い合わせはアフタヌーン編集部宛にお願いいたします。

ISBN4-06-321021-9（モ）　Printed in Japan